L'invitation

ORIAH MOUNTAIN DREAMER

L'invitation

Traduit de l'anglais par
Johanne Forget

Les Éditions
LOGIQUES

LOGIQUES est une maison d'édition reconnue par les organismes d'État responsables de la culture et des communications.

Nous remercions le Conseil des Arts du Canada, le ministère du Patrimoine canadien et la Société de développement des entreprises culturelles du Québec pour leur appui à notre programme de publication.

Nous reconnaissons l'aide financière du gouvernement du Canada par l'entremise du Programme d'Aide au Développement de l'Industrie de l'Édition (PADIÉ) pour nos activités d'édition.

Titre original: *The Invitation*
Publié par: HarperSanFrancisco, une division de HarperCollins*Publishers*
Révision linguistique: Cassandre Fournier, Monique Thouin, Liliane Michaud
Traduit de l'anglais par: Johanne Forget
Conception et mise en pages: PAGEXPRESS
Graphisme de la couverture: Christian Campana
Photo de l'auteur: Yanka & Yolanda, 21 Inc.

Distribution au Canada:
Québec-Livres, 2185, autoroute des Laurentides, Laval (Québec) H7S 1Z6
Téléphone: (450) 687-1210 • Télécopieur: (450) 687-1331

Distribution en France:
Casteilla/Chiron, 10, rue Léon-Foucault, 78184 Saint-Quentin-en-Yvelynes
Téléphone: (33) 1 30 14 19 30 • Télécopieur: (33) 1 34 60 31 32

Distribution en Belgique:
Diffusion Vander, avenue des Volontaires, 321, B-1150 Bruxelles
Téléphone: (32-2) 762-9804 • Télécopieur: (32-2) 762-0662

Distribution en Suisse:
Diffusion Transat s.a., route des Jeunes, 4 ter, C.P. 1210, 1211 Genève 26
Téléphone: (022) 342-7740 • Télécopieur: (022) 343-4646

Les Éditions LOGIQUES
7, chemin Bates, Outremont (Québec) H2V 1A6
Téléphone: (514) 270-0208 • Télécopieur: (514) 270-3515
Site Web: http://www.logique.com

L'invitation

Dépôt légal: Premier trimestre 2000
Bibliothèque nationale du Québec
Bibliothèque nationale du Canada

ISBN 2-89381-683-5
LX-793

Imprimé au Canada

pour Catherine

Table des matières

L'invitation

JE NE VEUX PAS SAVOIR CE QUE VOUS FAITES DANS LA VIE. *Je veux seulement connaître vos désirs, savoir si vous avez assez d'audace pour imaginer la réalisation de vos rêves les plus chers.*

Je ne veux pas savoir quel âge vous avez. Je veux savoir si vous oserez vous rendre ridicule au nom de l'amour, d'un rêve, ou de l'aventure de la vie.

Je ne veux pas savoir quelles planètes vous influencent. Je veux savoir si vous avez touché le centre de votre propre douleur, si les trahisons de la vie vous ont permis de vous ouvrir, ou si la peur de souffrir encore vous a fait vous refermer sur vous-même. Je veux savoir si vous pouvez regarder la souffrance en face, la mienne ou la vôtre, sans essayer de la cacher, de l'atténuer ou de la nier.

Je veux savoir si vous pouvez laisser la joie vous habiter, la mienne ou la vôtre, si vous pouvez danser de bonheur et vous laisser remplir d'extase jusqu'au bout des doigts et des orteils, sans faire appel à la prudence, au réalisme, sans rappeler les limites de la condition humaine.

Je ne veux pas savoir si l'histoire que vous me racontez est vraie. Je veux savoir si vous seriez capable de décevoir une personne pour rester fidèle à vous-même; de faire face à des accusations de trahison sans vous trahir vous-même; d'être déloyal, mais digne de confiance.

Je veux savoir si vous êtes capable de saisir la beauté du quotidien, même quand tout n'est pas joli, et si vous pouvez nourrir votre vie de sa présence.

Je veux savoir si vous pouvez vivre malgré l'échec, le mien ou le vôtre, et tout de même vous tenir sur le rivage du lac et crier aux reflets argentés de la pleine lune: «Oui!»

Je ne veux pas savoir où vous vivez, ni combien d'argent vous avez. Je veux savoir si vous pouvez vous lever, après une nuit de souffrance et de désespoir, malgré votre fatigue et votre douleur profondes, et faire ce qu'il faut pour nourrir les enfants.

Je ne veux pas savoir qui vous connaissez, ni comment vous avez fait pour arriver ici. Je veux savoir si vous resterez au centre du feu avec moi, sans reculer.

Je ne veux pas savoir ce que vous avez étudié, ni où ni avec qui. Je veux savoir ce qui vous nourrit de l'intérieur, quand tout le reste s'évanouit.

Je veux savoir si vous pouvez être seul avec vous-même et si vous aimez vraiment la personne qui vous tient compagnie dans vos moments de solitude.

Accepter l'invitation

À L'OCCASION, il nous arrive de vivre de véritables moments de grâce.

Parfois, durant ma méditation matinale, quelque chose s'ouvre en moi, et des parties de moi que je ne savais pas tendues se relâchent. Dans ces moments, je sens que tout ce qui est dur dans mon cœur et dans mon corps fait place à une grande douceur, transportée par ma respiration, et j'éprouve alors une grande compassion pour cette partie de moi qui passe son temps à organiser, à résoudre des problèmes et à prévoir. Mon esprit s'arrête et suit ma respiration. Je me sens envahie par une foi intense, par la certitude que tout ce qui doit être fait sera fait. Mes épaules tombent de quelques centimètres, la douleur faible mais constante s'atténue dans ma poitrine, et le moment s'étire. Je ne manque de rien: ni de temps, ni d'énergie, ni de tout ce qui est nécessaire. J'éprouve une grande tendresse pour moi-même et pour le monde entier, et je sais que j'appartiens à mon époque, aux gens, à la Terre, et à quelque chose qui est à la fois à l'intérieur et au-dessus de tout cela, quelque chose qui nous nourrit et nous soutient tous. Je ne veux pas être ailleurs. J'éprouve de la compassion et un sentiment de responsabilité envers moi-même et le monde.

Je sors du lit et j'entreprends ma journée sans me presser. J'entre dans la salle de bains, j'aperçois brièvement le reflet de mon visage mi-souriant et ne puis réprimer une grimace de dégoût en sentant l'eau froide imprégner mes chaussettes blanches. Toute trace de bien-être disparaît dans le cri d'agonie que je pousse en voyant l'état de la pièce après la douche de mon fils adolescent: des flaques d'eau sur le carrelage; plusieurs serviettes mouillées empilées dans un coin, d'autres enroulées autour du porte-serviettes en configurations destinées à les empêcher de sécher avant quelques années; le rideau de douche à moitié sorti de la baignoire, plié et chiffonné de manière à favoriser la formation de moisissure.

Plus tard, après avoir nettoyé, mon plus jeune fils, Jonathan, vient me retrouver alors que je suis assise dans la cuisine à siroter une tasse de thé chaud. «Je sais que nous ne devrions pas laisser la salle de bains dans cet état, maman...», dit-il prudemment, en essayant de se montrer raisonnable, «mais je crois que c'est un comportement plutôt normal pour des adolescents de laisser des serviettes mouillées sur le sol. On ne devrait pas le faire, évidemment!», ajoute-t-il en vitesse devant le regard foudroyant que je lui décoche par-dessus ma tasse de thé, «mais si c'est ce que nous faisons de pire, tu n'as pas vraiment de quoi t'inquiéter, n'est-ce pas?»

Je ne peux m'empêcher de rire. Bien sûr, il a raison.

C'est la réalité dans laquelle nous vivons: nous aspirons à faire de notre mieux, nous désirons trouver un sens à la vie, découvrir le lien qui nous unit à ce qui est plus grand que nous, et nous y arrivons parfois, puis nous nous laissons abattre par des salles de bains en désordre, des bouchons de circulation et des rôties brûlées. La spiritualité qui ne peut pas contenir mon humanité ne m'intéresse pas. Je trouve peu de réconfort ou d'inspiration dans le dogme traditionnel ou l'optimisme Nouvel Âge inconditionnel. Parce que derrière les petites épreuves quotidiennes se cachent des paradoxes plus profonds, des choses que l'esprit ne peut pas concilier mais que le cœur doit contenir si nous voulons vivre pleinement: l'extrême lassitude et l'espoir absolu; des croyances ébranlées et une foi à toute épreuve; des aspirations, apparemment contradictoires, à la liberté personnelle et à l'engagement profond envers les autres, à la solitude et à l'intimité, à la capacité d'être simplement en union avec le monde, et la nécessité de changer ce qui ne va pas dans notre façon de vivre.

L'invitation est un énoncé d'intention, un plan destiné à guider les vœux de l'âme; c'est le désir de vivre passionnément, face à face avec nous-mêmes, et côte à côte avec le monde qui nous entoure, de n'accepter rien d'autre que ce qui est réel. Le présent livre est un voyage dans le territoire tracé par l'invitation. Pour que nous puissions visiter ce territoire ensemble, vous devez savoir certaines choses. Car le seul fait de dire oui à l'invitation, de sentir l'impulsion du cœur ou l'accélération du pouls qui incite à aller de l'avant ne signifie pas faire le voyage lui-même.

Je veux vivre en intimité profonde chaque jour de ma vie. Je suis guidée, parfois entraînée, par le besoin de prendre les risques qui me permettront de vivre en harmonie avec ce qui est en moi et autour de moi. J'ai parfois peur que ce soit trop dur, de ne pas avoir ce qu'il faut pour être en communion avec tout, pour supporter la beauté exquise et la peine infinie que nous offre la vie pleinement vécue. Sachant à quel point la beauté et la peine peuvent faire peur, je fais ici, au début du voyage, trois promesses, qui sont en même temps des avertissements.

D'abord les situations décrites dans *L'invitation* ne relèvent pas de la métaphore; elles sont réelles. Quand je dis que je veux savoir si vous pouvez vous lever, après une nuit de souffrance et de désespoir, malgré votre fatigue et votre douleur profondes, et faire ce qu'il faut pour nourrir les enfants, je ne veux pas savoir si vous avez de bonnes intentions ou si vous avez les moyens de payer quelqu'un d'autre pour s'occuper des personnes qui dépendent de vous. Je veux savoir si vous pouvez vraiment vous lever, quand tout votre être ne veut rien d'autre que rester sous les couvertures. Je veux savoir si vous pouvez vous acquitter des petites tâches banales mais nécessaires, si vous pouvez donner ce qu'il faut même si vous avez l'impression de n'avoir plus rien à donner. Quand je vous demande si vous pouvez accepter la solitude, je n'essaie pas de savoir si l'idée de la solitude vous séduit, mais si vous pouvez vraiment être seul avec vous-même, pendant plus d'une heure ou deux, sans regarder la télévision, écouter la radio, prendre le téléphone ou feuilleter un magazine, si vous pouvez réellement vous sentir en paix en votre propre compagnie.

Le premier avertissement, donc, est également la première promesse: si le présent livre réussit à vous amener dans le territoire de l'invitation, vous dépasserez le stade de la lecture et vous éprouverez de la douleur, de la peine, de la joie, du courage, de la paix...

Les expériences personnelles dont je fais part ne sont pas importantes en elles-mêmes. Nous avons tous un millier d'histoires, et ma vie n'en a ni plus ni moins que les autres. Mais les histoires, soigneusement choisies et façonnées par la personne qui raconte et celle qui écoute, sont susceptibles d'ouvrir des portes dans notre paysage intérieur, de révéler la signification de nos vies, enfouie dans les détails, grâce à la formulation et à la contemplation consciente de ceux-ci. Je promets que je ne prétendrai pas connaître ce que je n'ai pas vécu, et que je n'essaierai pas non plus de nous réconforter mutuellement en feignant la confusion là où j'ai l'expérience.

Ceci m'amène au deuxième avertissement, qui est aussi une promesse: les conséquences des moments d'intimité profonde que vous vivrez avec vous-même, avec d'autres ou avec le monde sont totalement imprévisibles. Quand nous vivons pleinement nos joies, nos peines, nos envies et nos désirs, des aspects de nous-mêmes et du monde se révèlent peu à peu. Nous ne pouvons pas savoir d'avance quelle forme cette révélation prendra, ni quelle action elle nous inspirera ou nous forcera à entreprendre. J'ai vu des participants à des ateliers que j'animais imprégner de leurs propres désirs un moment anticipé d'intimité, sentir le vent du changement prévisible et fuir à toute vitesse la chose qu'ils étaient pourtant venus chercher – une relation plus profonde avec leur moi et leur âme – par crainte de ce que cela pourrait les amener à faire dans leur vie. Quand certaines parties de nos vies reposent sur des mensonges, ou sur des vérités dépassées, peu importe que nous soyons bien intentionnés ou inconscients, les changements que l'intimité profonde présuppose peuvent paraître très dangereux. Nous ne pouvons prévoir quels aspects de notre moi construit survivront, s'il en est. C'est à la fois la bonne nouvelle et la mauvaise: si vous entreprenez le voyage, le changement réel est possible, inévitable et, du point de vue actuel, complètement imprévisible.

Le troisième avertissement contient une nouvelle promesse: aucune partie du voyage n'est inutile. Dès que l'on reconnaît en soi un appétit pour quelque chose de plus que le simple désir de continuer, dès que l'on a goûté ne serait-ce qu'à la possibilité de toucher le sens de sa vie, il est impossible de se satisfaire complètement du mouvement pour lui-même. Il n'y a pas de retour en arrière. L'acquisition de la connaissance est irréversible. La sagesse que l'on acquiert dans les moments d'intimité réelle pénètre l'âme de la connaissance de ce que nous sommes, de qui nous sommes. Elle nous transforme.

Je ne peux promettre que le voyage sera toujours facile. Le fait d'accepter de vivre en intimité avec le monde n'est pas un processus sélectif. Si nous refusons de toucher les zones de peine ou de confusion en nous-mêmes ou chez les autres, nous ne pourrons cultiver l'aptitude d'être complètement présents dans nos moments de joie et d'extase. Toutefois, si nous nous ouvrons à la peine autant qu'à la joie, nous pourrons développer notre aptitude à porter le monde, et nous-mêmes, dans nos cœurs.

Je sais que nous pouvons y arriver, parce que j'en ai fait l'expérience et que j'ai vu chez d'autres la capacité de se plonger dans chacun des lieux d'intimité évoqués dans *L'invita-*

tion. Je peux vous assurer qu'il est possible de ressentir de la souffrance sans essayer de la cacher, de l'atténuer ou de la nier, de danser de bonheur et de se laisser complètement remplir d'extase, de vivre malgré l'échec, de voir la beauté, de rester au centre du feu... J'ai vécu tout cela sans regret, et mes expériences ont ravivé ma confiance en l'esprit humain. Mes expériences ont fait germer en moi une infinie tendresse pour le courage du cœur, le mien comme le vôtre, qui résiste encore et encore et grossit pour englober tout ce qui importe, même quand cela paraît, à l'esprit humain, insupportable ou simplement impossible.

Nous pouvons y arriver. Et si nous le faisons ensemble, ce sera plus facile. Quand j'ai donné naissance à mon premier fils, mon conjoint, qui était aussi inexpérimenté et dépassé que moi par l'intensité des heures de travail, tenta de me rassurer en disant que tout se passait normalement et que je m'en tirais bien. Dominée par la peur de ce qui restait à venir et la douleur du moment présent, je n'étais pas très bien disposée. «Qu'est-ce que tu en sais?», lui ai-je répondu brusquement. Nous avons tous deux regardé la sage-femme; celle-ci nous a assuré que tout allait bien et nous a rappelé à tous deux de respirer. Nous l'avons écoutée. Elle savait. Elle était déjà passée par là plusieurs fois. Nous avions confiance en ses connaissances, puisées dans l'expérience.

Nous allons donner naissance à une intimité plus profonde avec nos vies et notre monde. Je suis la sage-femme qui a assisté à plusieurs naissances et a elle-même enfanté. Quand ce sera difficile, je vous rappellerai ce que vous savez déjà: que vous pouvez y arriver; que vous puiserez le courage d'aller plus loin en laissant votre désir surpasser votre peur; que vous trouverez la force dans votre besoin de vivre pleinement, votre volonté de ne pas vous contenter de peu. Je ne vous laisserai pas en déséquilibre dans des endroits difficiles, mais je vous indiquerai des lieux où vous pourrez respirer plus facilement, et à l'occasion je vous proposerai des prières et des méditations que vous pourrez utiliser pour vous reposer et rafraîchir votre corps et votre cœur.

Nous ne sommes pas seuls dans le combat que nous menons pour nous ouvrir pleinement à la vie. Quand je réussis à vivre en intimité réelle, quand je fais attention à chaque moment et ne recule pas devant la vérité, je sens une présence qui n'est pas seulement mienne, qui me saisit tandis que je saisis le moment. Cette présence, ce Grand Mystère, qui porte tant de noms différents – Dieu, l'Esprit, Allah, la Sainte Mère – me soulève, me remplit d'un silence infini et me fait goûter à l'interconnexion de toutes choses de la vie. J'ai foi en ce Grand Mystère et je suis convaincue qu'il nous nourrit de diverses façons.

Avant que nous entreprenions ce voyage ensemble, vous avez le droit de savoir ce qui me motive, pourquoi je cherche à vivre en intimité avec ma vie et le monde. La réponse la plus franche à cette question est la plus simple: parce que je dois le faire. Je suis forcée par une profonde soif de l'âme, poussée par un désir impitoyable, à vivre ma vie dans toute sa plénitude. Et je sais que cela ne veut pas dire travailler sans répit, accomplir beaucoup, ou consommer d'énormes quantités de choses et d'expériences. Cela veut dire goûter chaque bouchée, sentir chaque respiration, écouter chaque chanson, être éveillée et consciente de chaque moment qui passe.

Vivre pleinement le moment présent ne veut pas dire ignorer les conséquences de nos actions pour l'avenir. Si nous voulons trouver en Occident, où réside une partie importante du pouvoir politique et économique, le moyen de changer ce qui doit être changé pour que nos enfants puissent vivre sur la terre, nous devons apprendre à participer pleinement à nos propres vies, nous rappeler l'interconnexion entre l'esprit et la matière et en faire l'expérience. Je cherche la sagesse dans une vie qui allie la contemplation et l'action. La véritable contemplation – qui consiste à être en union avec les joies et les peines de mon cœur et du monde – m'incite à l'action guidée par la prise de conscience et nourrie par la passion pour la vie.

Il n'y a pas de marché à conclure ici. Nous ne pouvons pas acheter le courage nécessaire pour vivre chaque moment de façon à être immunisés contre les souffrances de la vie. Nous avons beau prétendre le savoir, mais nous appartenons à une culture de marché. Depuis l'enfance, on nous enseigne qu'il existe toujours un marché à conclure, une occasion dont il faut profiter. Nous finissons par croire que, si nous nous comportons correctement, si nous sommes assez gentils, assez intelligents, assez sincères, et si nous travaillons assez fort, nous serons récompensés. Cette chanson comporte divers couplets: si nous regrettons nos péchés et que nous nous efforçons de ne plus recommencer, nous irons au ciel; si nous faisons nos exercices quotidiens, surveillons notre alimentation, guérissons notre enfant intérieur, découvrons nos problèmes émotionnels, concentrons nos efforts, vivons en harmonie avec le monde autour de nous, polissons nos affirmations, trouvons et écoutons la voix de notre moi supérieur, nos récompenses seront la santé, la prospérité, la tendresse et la paix intérieure – en d'autres termes, le ciel!

Nous savons que nos actions et notre façon de penser ont des effets sur la qualité de nos vies. Plusieurs choses dépendent clairement de nous. Et plusieurs autres pas. Je ne vois aucune preuve que l'Univers fonctionne selon un système méritocratique de cause à effet. De mauvaises choses arrivent à des gens bien – constamment. Certaines personnes gagnent de l'argent en faisant un travail qu'elles n'aiment pas, d'autres en ne voyant pas, par ignorance ou inconscience, le mal qu'elles causent à la planète ou aux autres. La maladie et l'infortune frappent des personnes qui suivent les élans de leur âme. De grands artistes connaissent la pauvreté. De grands professeurs vivent dans l'obscurité.

Je vous invite ici à entreprendre un voyage qui vous fera vivre en intimité plus profonde avec le monde et avec vous-même, sans vous promettre la sécurité, sans vous garantir de récompense autre que la valeur intrinsèque de la participation entière. Je propose, à la fin de chaque chapitre, des méditations destinées à nous aider tout au long du trajet. Ces méditations ne sont pas des panacées qui feront disparaître ce qui est difficile ou malheureux dans nos vies et notre monde, mais elles m'ont aidée et ont aidé les personnes avec qui j'ai travaillé à nous ouvrir et à vivre dans une plus grande intimité avec nous-mêmes et avec le monde. Vous pouvez les lire lentement devant un magnétophone et les réécouter, ou écouter un ami les lire à haute voix.

La vie vécue en intimité n'est peut-être pas plus facile, mais elle est plus entière, plus riche et plus ouverte à tout: la confusion et la compréhension, l'enthousiasme et l'ennui, l'ombre et la lumière. D'une certaine façon, le fait de développer mon aptitude à vivre simplement en communion avec tout rend les choses difficiles plus faciles à supporter, me permet de donner et de recevoir plus à chaque moment. Plus souvent qu'autrement, cela m'aide à trouver mon sens de l'humour quand je me prends trop au sérieux, à rire devant la facilité avec laquelle la merveilleuse sérénité d'une heure de méditation peut être ébranlée par la sensation banale de l'eau froide qui imprègne mes chaussettes.

J'ai écrit *L'invitation* tard le soir, en rentrant à la maison après une soirée. J'étais perturbée, déçue par une autre soirée remplie des conversations sociales habituelles. Je me sentais agitée, mais je me suis assise à mon bureau et j'ai écouté les bruits qui diminuaient graduellement autour de moi tandis que la ville se préparait à dormir. Là, dans le calme, à la pâle lumière projetée dans la chambre par un réverbère, j'ai pris mon stylo et j'ai écrit ce que j'aurais vraiment voulu dire aux personnes que j'avais rencontrées ce soir-là, suivant un modèle d'exercice d'écriture que j'avais appris à l'atelier de David Whyte.

Quand j'ai eu fini, je suis restée assise dans la demi-obscurité et j'ai lu les mots à haute voix à la ville endormie. J'ai entendu mon désir d'être pleinement avec les autres. Et dans le silence qui a suivi, j'ai entendu la voix du monde, que je crois parfois entendre tard la nuit, me suppliant de ne pas oublier ce désir.

Quand je m'imagine à la fin de ma vie en train d'évaluer le temps que j'ai passé ici, il n'y a qu'une seule question qui me préoccupe vraiment: «Est-ce que j'ai bien aimé?» Il y a des milliers de façons d'aimer les autres et le monde: par notre toucher, nos mots, nos silences, notre travail, notre présence. Je veux aimer comme il faut. C'est de cela que j'ai faim. Je veux faire l'amour au monde par ma façon d'y vivre, par ma façon d'être avec moi-même et avec les autres tous les jours. C'est pourquoi j'essaie d'augmenter ma capacité de vivre avec la vérité à chaque moment, de vivre avec ce que je connais, le bon et le mauvais. Je veux rester consciente de l'étendue de ma connaissance. C'est ce qui m'engage dans le voyage. Je ne veux pas vivre autrement.

Et parfois je me plais à imaginer que chaque moment où nous aimons bien, en étant simplement ce que nous sommes et en étant pleinement présents, nous permet de rendre quelque chose d'essentiel au Mystère Sacré qui nourrit toute vie.

LA MÉDITATION INITIALE

Asseyez-vous ou étendez-vous dans une position confortable, et concentrez votre attention sur votre respiration. Suivez le souffle qui entre dans votre corps et qui en sort, et relâchez vos muscles à chaque expiration. Répétez l'exercice une dizaine de fois, en ne pensant qu'à votre poitrine qui se soulève et qui retombe au passage de l'air.

Maintenant, concentrez-vous sur une chose que vous voulez faire et qui ne fait pas actuellement partie de votre vie. Pensez à quelque chose de spécifique et de concret, et imaginez en détail les aspects physiques de la chose et les sentiments qu'elle vous inspire. Il peut s'agir de méditer ou de faire des exercices quotidiennement, d'apprendre quelque chose de nouveau ou de faire quelque chose de créatif – danser, peindre, écrire, chanter – ou simplement d'être plus patient avec les personnes que vous aimez. Choisissez quelque chose qui a de l'importance pour vous.

Imaginez-vous en train de commencer cette activité. Imaginez l'état dans lequel doivent idéalement se trouver votre esprit, votre corps et vos émotions au début. Comment voulez-vous vous sentir mentalement, émotionnellement et physiquement en commençant? Imaginez comment vous souhaiteriez idéalement être pour commencer. Concentrez-vous là-dessus pendant quelques respirations.

Prenez conscience de ce que vous ressentez mentalement, émotionnellement et physiquement en ce moment. Évaluez la distance, s'il en est, qui sépare le lieu où vous vous trouvez et celui où vous souhaiteriez être en commençant à vivre cet aspect de votre vie. Imaginez deux moi: l'un qui se sent comme vous aimeriez idéalement vous sentir pour commencer, et l'autre tel que vous êtes, peut-être plus fatigué, moins inspiré, moins calme, ou plus distrait que ce que vous aimeriez être. Reportez votre attention sur vos inspirations et vos expirations, et prenez quelques minutes pour sentir, sans porter de jugement, la distance entre le lieu où vous êtes et celui où vous voudriez vous trouver – ou pensez que vous devriez vous trouver – pour commencer.

Maintenant, imaginez que vous commencez à faire ce que vous vouliez faire à l'origine, à partir de l'endroit où vous êtes actuellement. Imaginez que vous méditez, faites de l'exercice, êtes plus patient envers une personne que vous aimez, apprenez quelque chose, faites quelque chose de créatif, tel que vous êtes en ce moment, peut-être un peu fatigué, distrait, agité, ou peu inspiré. Ne vous éloignez pas de ce que vous ressentez. Détendez-vous en pensant à l'état actuel des choses et imaginez que vous faites ce que vous voulez, peut-être pas aussi parfaitement ni de la manière idéale que vous aviez imaginée au départ, mais que vous le faites tout de même. Laissez-vous aller avec chaque expiration; permettez-vous d'éprouver exactement ce que vous ressentez. Accordez-vous la permission de commencer à partir d'ici.

Le désir

Je ne veux pas savoir ce que vous faites dans la vie.
Je veux seulement connaître vos désirs,
savoir si vous avez assez d'audace pour imaginer la réalisation
de vos rêves les plus chers.

J'AI FOI DANS LE DÉSIR, peu importe où il se présente à moi. Et souvent il le fait à des moments imprévisibles et inopportuns. C'est comme une porte qui s'ouvre soudain. Je n'y suis jamais préparée. Rien ne peut me préparer à la façon dont il me prend et me quitte, à la férocité de la douleur. C'est la voix des parties de moi-même que j'ai reniées dans les marchés que j'ai essayé de conclure avec la vie, en tentant d'échanger des morceaux de mes rêves contre des promesses de sécurité.

Parfois, le matin, je m'assieds deux minutes dans le jardin pour offrir une prière au jour qui commence, bien qu'une partie de moi soit impatiente d'entreprendre les tâches qui attendent: réveiller mes fils, préparer le petit-déjeuner, rappeler des gens, mettre quelques brassées de linge sale dans la lessiveuse, expédier du courrier...

Pendant un tout petit moment, je reste assise dans la douce fraîcheur des premiers rayons du soleil. La brise du matin agite mes cheveux, je sens l'herbe humide sous mes pieds nus, et je suis surprise par la vague de désir qui me submerge. C'est une douleur innommable. Je retiens mon souffle, mes lèvres murmurent: «Je veux... Je veux...» Je ne peux pas l'exprimer. Je dois attendre, ouverte et affamée. Et ce désir vient et me prend, et je me rappelle ce que j'ai cru ne jamais pouvoir oublier. Ce désir me séduit par des promesses incrustées dans les cellules de mon corps. Il me parle à l'oreille de repos, d'une relation profonde avec moi-même, du désir de l'autre, de la fidélité au sacré.

Assise dans la cuisine de Twylah Nitsch, une dame âgée de Seneca, je prends une tasse de thé avec elle dans la pâle lumière du matin; je lui demande: «Combien de temps avez-vous été mariée?»

Twylah repousse les mèches blanches qui s'échappent obstinément de ses pinces à cheveux. C'est une femme toute petite, moins de 1,50 m, pleine de vitalité malgré ses 80 ans. Les fines rides de la vie couvrent son visage et ses mains. «Je *suis* mariée, me répond-elle calmement. Bien que mon mari soit mort il y a 12 ans, il est toujours mon mari, comme il l'a été durant 32 ans avant cela.»

Ma gorge se serre en l'entendant prononcer ces mots. Je peux voir dans ses yeux et au mouvement de ses mains vers le contenant de lait que c'est vrai. Je sais que la nuit dernière, seule dans son lit, au moment de s'endormir, elle l'a senti se pelotonner contre elle, elle a senti le doux poil de sa poitrine contre son dos décharné, ses fortes hanches le long de ses fesses vieillissantes, ses mains fermes prendre doucement ses seins tombants. C'est comme cela depuis toujours. La séparation des années, ou même des mondes, ne peut atténuer le désir qu'ils éprouvent l'un pour l'autre.

Silencieusement, elle fixe mon visage de ses pâles yeux bleus, tandis que mes doigts suivent les motifs dessinés par le soleil sur la nappe en plastique. Je désire cette profonde intimité, ce degré d'engagement envers l'autre et envers chaque moment de ma vie.

Je veux savoir comment vivre cela, même quand le temps que nous passons ensemble est bref. Quand nous nous rencontrons, je ne veux pas savoir ce que vous faites dans la vie. Je veux savoir à quoi vous aspirez quand la porte du désir s'ouvre devant vous et si vous avez le courage de sentir votre propre désir. Dites-moi une chose que vous ne vous êtes pas dite à vous-même depuis longtemps. Que cela vienne de votre ventre, pour que nous soyons surpris ensemble. Nous resterons assis, ensemble, le temps qu'il faudra, à attendre que cela vienne. C'est difficile d'attendre seul. À certains moments, j'ai eu peur de ne plus jamais être capable de ressentir mon désir. Mes voyages ont tous eu pour but de retrouver les désirs que j'avais abandonnés.

Plus de dix années ont passé depuis le jour où j'ai fait mes valises. Je me tenais dans le vestibule, Nathan bavait tout naturellement, bien appuyé sur mes hanches, et Brendan jouait avec des blocs de bois à mes pieds. Je n'avais rien planifié d'autre que de ramasser les couches et les jouets pour les apporter. J'attendais que mon mari revienne, tandis que les ombres devenaient plus épaisses. J'étais une femme en suspens, incapable de bouger ne serait-ce que pour allumer la lumière. J'espérais qu'il arriverait avant que ce soit suffisamment obscur pour que j'aie l'air complètement idiote, debout au milieu d'une pièce sans lumière.

Quand il est entré et qu'il a aperçu la valise, tout ce que j'ai trouvé à dire, d'une voix faible et terne, c'est:

— Nous partons.

— Vraiment, a-t-il répondu d'un ton railleur, et où astu l'intention d'aller?

Ce n'était pas un homme cruel, seulement un homme fatigué. Nous étions tous les deux tellement fatigués.

— Je ne sais pas. Je sais seulement que je ne peux pas rester ici.

Les mots ne pouvaient pas exprimer que j'avais l'impression de m'atrophier un peu plus chaque jour à l'intérieur de moi-même et que cela me terrifiait.

— Mon Dieu, Oriah, que tu as le don de dramatiser.

Il amena les garçons dans la cuisine, puis commença à préparer le repas.

J'étais seule dans la salle de séjour, l'obscurité croissante retirait toute couleur des formes familières du mobilier. Je ne pouvais pas quitter mes fils, et je n'avais pas d'endroit où les amener. J'attendis que l'engourdissement familier monte de mes jambes et envahisse le reste de mon corps. Je savais qu'éventuellement je serais assez engourdie pour bouger. Alors, j'ai pris la valise, je me suis dirigée vers la chambre à coucher, j'ai vidé la valise, et je l'ai replacée au fond de l'armoire.

Mon mari et moi n'avons jamais parlé de cette soirée. Un an plus tard, quand je l'ai finalement quitté, il a eu un choc. Il m'a regardée d'un air incrédule quand je lui ai rappelé cette soirée où je l'avais accueilli avec une valise toute prête, comme s'il était convaincu que j'inventais cette histoire.

Et le début de la séparation a commencé. Dans mes relations, je gardais toujours la main sur la poignée de la porte; j'avais peur de laisser n'importe quelle porte fermée trop longtemps, parce que je craignais de me sentir coincée, de me retrouver encore une fois dans le crépuscule, incapable de partir, sans nulle part où aller. Dès le début, je disais à chaque homme à quoi s'attendre. On ne pouvait m'accuser d'avoir eu recours à un subterfuge, d'avoir induit qui que ce soit en erreur. L'honnêteté me servait d'alibi.

Je savais que je ne pouvais pas rester sans savoir que je pouvais partir. Sachant que je pouvais partir, je brûlais de savoir que je pouvais rester, de savoir comment vivre un engagement envers un conjoint qui ne m'éloignerait pas de ma propre vie, intérieure et extérieure.

Dites-moi ce que vous désirez. Je ne veux pas que vous me racontiez une autre histoire de famille dysfonctionnelle pour expliquer vos faiblesses humaines actuelles. Laissez-moi goûter vos histoires dans le sel des larmes que j'essuie sur vos cils. J'ai envie de suivre le lent méandre qui nous amène à faire connaissance. Je veux tourner en spirale autour du lieu où l'on sent la chaleur de l'air entre nous, découvrir lentement les nouvelles odeurs de l'un et de l'autre, les laisser persister dans nos narines, les aspirer profondément, permettre à nos corps et à nos cœurs de goûter l'impulsion du mouvement qui nous attire l'un à l'autre avant que nous bougions.

Je veux être courtisée par la vérité. Je veux que les histoires qui racontent nos vies se déroulent en de longs fils multicolores. Ne m'en dites pas trop, trop tôt. Ne me cachez rien. Dites-moi les histoires de votre cœur, offrez-les-moi comme des perles parfaites venues des profondeurs de l'océan pour être reliées, cliquetant tout doucement les unes contre les autres, lumineuses et iridescentes tandis qu'elles roulent dans la lumière. Je veux entendre dans 10 ans une histoire de votre enfance que je n'aurai encore jamais entendue et être ravie et constamment émerveillée de vous voir pour la première fois, encore et encore. Faites-moi voir chaque image lentement, pour que je m'y arrête, que je vous trouve dans les détails, que je m'y aperçoive et y découvre des présages de nous. Je veux que nous conversions sans arrêt toute la nuit et que nous soyons capables de garder le silence ensemble pendant des jours, car la solitude partagée avivera notre intimité.

Et si nous devons être amants pour la première fois ou de nouveau, après plusieurs fois, que notre amour soit rempli de timidité et de découverte, comme il l'était, ou aurait pu l'être, quand nous avions 16 ans: aujourd'hui, un baiser prolongé, un effleurement sur ma nuque, que je sentirai pendant des heures; demain, une légère caresse sur mes seins qui me coupera le souffle. Je veux savourer chaque toucher comme une découverte qui révèle l'autre infiniment. Je veux prendre tout mon temps pour errer au hasard, désirant ardemment ce qui reste à venir, de façon à savoir à quel moment je serai totalement pénétrée, que ce soit par votre corps, votre histoire, ou simplement le moment que nous partageons.

C'est le désir de l'âme humaine pour l'autre qui se fait entendre dans le corps et le cœur. J'ai de la difficulté à admettre ce désir. Je crains qu'il n'ait qu'une valeur marginale – qu'il ne soit qu'un moyen de parvenir à une fin – sur le plan de ma relation avec l'Esprit, de mon travail en ce monde. Mais nous aimons l'Esprit et honorons le sacré par la façon dont nous touchons les autres. Même quand je suis totalement présente à moi-même, je porte constamment au plus profond de mon être ce désir pour l'autre et pour le monde.

L'Univers n'est pas donné deux fois. La séparation entre l'esprit et la matière est dans notre pensée, dans notre façon d'en parler. Je touche Dieu quand je caresse le visage d'un amant, je porte le Bien-Aimé quand la main de mon fils est dans la mienne, j'aspire l'Esprit quand je saisis l'odeur du soleil dans la brise. Le monde s'offre à moi de mille façons, et je souffre à la pensée que je ne puis en général recevoir qu'une infime fraction de ce qui m'est offert, que je rejette trop souvent ce qui est parce que j'ai l'impression que cela ne suffit pas. Certains matins où je m'assieds un moment dans le jardin, je ne remarque même pas à quel point mes muscles se tendent au bruit de la circulation urbaine, m'insurgeant contre ce que je considère une intrusion dans la quiétude matinale. Je m'en éloigne, je ne peux pas ou ne veux pas reconnaître que ce bruit fait partie de ce qui est vivant, qu'il s'agit simplement des sons des hommes et des femmes qui commencent leur journée, qui s'en vont dans le monde faire le travail qu'ils ont à faire pour vivre et faire vivre leurs enfants.

Pouvez-vous voir et toucher le divin qui est en toute chose? Nous vivons dans une société qui a perdu la foi, et nos vies quotidiennes comportent peu de cérémonies susceptibles de nous rappeler l'existence du sacré. Dépouillés des plus petites formalités, nous devenons profondément familiers avec l'humanité des uns et des autres. Je veux une certaine distance, à l'occasion, pour me rappeler le mystère que les autres représentent pour moi, et celui que je représente pour eux, pour savourer à l'avance l'émerveillement de la découverte du divin chez une autre personne.

Mon grand-père, Baba, se levait chaque fois qu'une femme entrait dans la pièce. Il le faisait tranquillement, avec assurance, comme si cela avait été la chose la plus naturelle du monde. La femme pouvait être jeune ou vieille, jolie ou ordinaire, ce pouvait être la voisine d'à côté ou sa belle-sœur à la voix douce. Cela n'avait aucune importance. Mon père, un homme pris entre deux époques, se levait parfois. Mon frère, quand il est devenu un homme, jamais. Notre génération a rejeté l'étiquette, qui se composait pour elle de gestes vides, dénués de signification réelle et dépourvus de toute intention honorable, de mouvements vides conçus pour apaiser des personnes privées de pouvoir réel dans leur vie. Comment peut-on prétendre honorer la femme en se levant d'une chaise, alors que la communauté ferme les yeux devant un homme qui bat sa femme ou l'empêche de travailler à l'extérieur?

Baba sentait-il les frémissements ancestraux du vieux guerrier dans son sang, celui qui reconnaissait, honorait et chérissait les femmes de sa tribu, parce qu'elles étaient des sources de vie, des êtres dont la forme du ventre et des seins contenait l'image même de la vie? Avait-il l'intention de saluer la vie et de se mettre à son service, ou était-il simplement poli et suivait-il des règles qui ont depuis longtemps perdu toute signification?

Je ne sais pas. Toutefois, quand j'entre dans une pièce et qu'un homme se lève et reste debout jusqu'à ce que je sois assise, je sens une partie de moi réagir; je comprends ce que ce serait de vivre alors que ce que nous avons à offrir, le lieu plus grand que soi-même au plus profond de notre être, est reconnu et apprécié. Je me sens appelée, non pas à nier mon humanité, mais à me rappeler ma place dans toute chose, à me surpasser et à voir le meilleur en moi-même, et à l'offrir aux autres, pour être digne d'être femme, source de vie, guerrière, mère, sœur, grand-mère, rêveuse, prêtresse...

Il est facile de perdre de vue le divin chez le conjoint qui sort les ordures, et encore plus facile s'il ne le fait pas. Il est difficile de penser à chercher et à trouver l'être aimé dans le préposé au stationnement ou le portier que nous rencontrons. Nous avons besoin de gestes partagés, de petits rituels qui nous aident à porter attention, à voir et à honorer le mystère de l'autre tous les jours. C'est l'engagement que mon âme désire prendre envers le monde.

Et je veux cesser d'essayer de faire cela.

Ce n'est pas d'être ni même de faire qui épuise. C'est d'*essayer*: essayer d'être présent, d'être éveillé, de porter le monde entier, d'être meilleur, d'être plus conscient de soi, d'être plus conscient de tout. Mes espoirs en ce qui nous concerne sont réels: je veux contribuer à créer un monde où l'idée même de déchets toxiques soulèverait un tel cri d'angoisse chez les gens qu'elle deviendrait impensable; où notre cœur nous pousserait à prendre soin des pauvres, des malades, des mourants et des désespérés sans nous demander s'ils méritent notre compassion, sans avoir peur d'être contaminés, en voyant un reflet de nous-mêmes dans chaque personne.

Si honorables que soient mes désirs de changer les choses, je sais que mes motivations sont mixtes. Je crains de disparaître si je n'accomplis pas quelque chose, de n'avoir rien à vous offrir quand nous nous rencontrerons. Je veux être capable de vivre une journée, un mois, une année – même toute une vie – qui ne soit pas un bon sujet d'histoire. Je ne veux pas m'inquiéter de n'avoir rien à vous dire quand nous nous rencontrons et que vous me demandez des nouvelles. Je veux être capable d'occuper ma vie dans tous ses coins et recoins et que cela suffise.

Il y a des endroits en moi où le baume apaisant du repos n'a jamais pénétré. J'aimerais avoir un répit de la tension, un moment de calme délicieux, d'obscurité tranquille, un grand silence susceptible de pénétrer et de détendre les petits nœuds durs que forment mes efforts incessants. Je veux cesser de nier ma propre fatigue. Je veux être apte et disposée à bouger à mon rythme personnel en demeurant liée à l'impulsion du mouvement qui vient des profondeurs de mon être; je veux pouvoir m'arrêter quand le mince fil du désir m'échappe et avoir le courage et la foi nécessaires pour attendre, dans la quiétude, que je le retrouve.

Voici ce que je désire: l'intimité avec moi-même, les autres et le monde, l'intimité qui touche au sacré dans tout ce qui est la vie. Ce désir, c'est le fil qui me guide dans le labyrinthe des compromis que j'ai faits, qui me ramène vers les désirs de mon âme. Il m'arrive parfois d'avoir peur de mes désirs – peur de ce qu'ils vont exiger de moi, peur qu'ils m'offrent une vision de moi-même ou du monde susceptible de me demander de sacrifier ma façon soigneusement cultivée de voir les choses. Si nous ne sommes jamais consumés par le feu transformateur de nos désirs, nous risquons de nous laisser séduire par la douce souffrance de l'envie, par le rêve conscient des «Si jamais...», ou «Un jour, peut-être...»

La volonté de vivre nos désirs demande du courage. Nos désirs ont si souvent été utilisés contre nous, utilisés pour nous vendre ce que d'autres veulent que nous achetions. En allant vers notre désir d'engagement profond envers l'esprit, nous avons acquis l'obéissance aveugle; en nous ouvrant à notre désir d'amour, nous avons acquis l'abandon de soi; en tentant d'étreindre notre désir de beauté, nous avons acquis toutes sortes de biens, des voitures aux vêtements, des vacances exotiques à la chirurgie plastique. On nous a vendu un style de vie, alors que notre âme ne désirait que la vie.

Pour goûter notre désir, pour sentir notre souffrance, nous risquons de découvrir les désirs de notre âme. Nous risquons de ne pas satisfaire ces désirs. Nous risquons de les vivre pleinement.

MÉDIATION SUR LE DÉSIR

Asseyez-vous confortablement, et ayez à portée de la main un stylo et du papier. Respirez profondément par le nez trois fois, et expirez par la bouche de manière que votre poids se concentre dans la moitié inférieure de votre corps pendant l'expiration. Laissez tomber vos épaules et concentrez votre attention sur votre respiration, en suivant les inspirations et les expirations durant quelques minutes. Si votre esprit s'égare, ramenez-le doucement vers votre respiration. Suivez le soulèvement et l'abaissement de votre ventre avec chaque respiration.

Maintenant, prenez le stylo et le papier et commencez à écrire. Complétez les phrases: «Je veux...», «J'ai besoin de...», «Je désire...» Faites cela pendant cinq bonnes minutes. Ne portez pas de jugement sur ce que vous écrivez. Dressez librement la liste de ce que vous voulez, de ce dont vous avez besoin, de ce que vous désirez. Les éléments de la liste peuvent être des choses très concrètes ou très abstraites. Essayez d'être spécifique.

Faites une pause et reprenez vos respirations; respirez encore profondément trois fois et détendez-vous. Puis revenez à ce que vous avez écrit. Lisez les éléments à haute voix, un à la fois, et dites: «Ça ne m'intéresse pas d'avoir un jour... Ce que je veux vraiment, c'est...» Complétez la deuxième phrase, sans vous censurer, du plus profond de vous-même. Exprimez l'indicible, écoutez les désirs de votre cœur et de votre âme, sans jugement. Surprenez-vous. Dites-vous quelque chose que vous ne savez pas déjà.

La peur

Je ne veux pas savoir quel âge vous avez.
Je veux savoir si vous oserez vous rendre ridicule
au nom de l'amour,
d'un rêve,
ou de l'aventure de la vie.

PARLEZ-MOI DES MOMENTS où vous vous êtes rendu ridicule, où vous avez tout risqué pour suivre la flamme de votre désir. Je peux vous poser la question et écouter la réponse sans porter de jugement, parce que moi aussi j'ai déjà été ridicule.

Je suis tombée amoureuse d'un homme qui ressemblait en tous points à ce que j'avais toujours imaginé que je voulais: grand avec une épaisse chevelure brune et des yeux bruns, doux et intelligents, un visage ouvert et un corps musclé dégageant une masculinité à la fois forte et tendre. Et il me faisait rire dans les moments où j'en avais désespérément besoin. Je passais mes journées assise au chevet d'une amie qui était dans le coma, sur le point de mourir, et il passait ses nuits à me faire l'amour tendrement et me serrait dans ses bras quand je me réveillais en larmes, après avoir rêvé que j'essayais d'éloigner mon amie du précipice qui s'ouvrait devant elle. Toute ma prudence habituelle concernant la rapidité avec laquelle je devais ouvrir mon cœur et ma vie à n'importe quel homme s'était évaporée dans la chaleur du désir que je ressentais pour lui, les deux mains grandes ouvertes, murmurant: «Vivre.» Je me suis donnée sans réserve. J'ai tout risqué. Je me suis laissée aimer et être aimée, profondément.

Et huit mois plus tard, je me suis retrouvée les bras vides, une douleur aiguë au centre de la poitrine, mon compte de banque vide, mon orgueil ébranlé. Je me suis sentie stupide.

La pénible impression d'avoir été ridiculisé est différente selon les individus. Comment finiriez-vous la phrase suivante: «La pire chose qu'on pourrait dire à mon sujet, c'est...»? Pour moi, la pire chose serait qu'on dise que j'ai été stupide, que je me suis facilement fait avoir, que je n'ai pas eu assez de jugement pour voir les choses clairement. Et j'ai été assez stupide pour lui donner de l'argent, pour lui parler de mariage et lui dire que j'aimerais avoir d'autres enfants avec lui, pour le laisser entrer dans ma maison et s'approcher de mes fils. L'admettre me donne envie de rentrer sous terre, peu importe comment c'est arrivé ou pourquoi je n'ai pas reconnu les avertissements. La fin, même si c'est moi qui l'ai provoquée, m'a paralysée. Mais j'étais toujours là, et je respirais, même si je me sentais embarrassée et vulnérable. J'avais montré la profondeur de ma faim. J'avais révélé au monde entier que j'étais une femme aux passions profondes et débridées susceptible d'oublier son aptitude habituelle à bien juger les gens et à prendre des décisions mûrement réfléchies. J'avais été stupide.

Et je n'hésiterais pas à recommencer.

Je n'échangerais pas une minute d'amour contre l'assurance d'un résultat prévisible ou la protection de mon orgueil. Car j'ai appris à faire la distinction entre le feu et la chaleur de l'intimité réelle, entre le pouvoir et la passion, entre l'intensité et l'amour. J'ai découvert l'intégrité de mon désir d'avoir un conjoint – d'avoir un ami, un frère, un partenaire, alors que je ne cherchais qu'un amant.

J'ai appris que se rendre ridicule ne fait pas mourir. Mais pourquoi donc cela me fait-il si peur?

Un après-midi dans le métro, j'ai entendu une personne pleurer et gémir doucement: «Aidez-moi. Est-ce que quelqu'un pourrait m'aider, s'il vous plaît?» Il m'a fallu un moment pour trouver l'auteur de la plainte que j'avais entendue: une grande femme, appuyée sur une des portes, le visage couvert de larmes. Toutes les autres personnes présentes dans le wagon regardaient droit devant elles. Je me suis approchée de la femme, j'ai posé doucement ma main sur son bras, et je lui ai demandé si je pouvais faire quelque chose pour elle. Plus tard, après que je lui eus procuré l'aide dont elle avait besoin, les autres passagers se sont rassemblés autour de moi sur le quai pour me poser des questions, car ils s'inquiétaient de son sort. J'ai été surprise. Ce n'était pas qu'ils étaient indifférents. Ils avaient peur: peur d'être mêlés à quelque chose qu'ils ne pourraient pas contrôler, quelque chose d'imprévisible qui pourrait attirer l'attention sur eux ou les embarrasser. Et si la femme s'était mise à crier après moi, ou avait réagi violemment quand je lui ai offert mon aide? Et si elle avait eu besoin de soins médicaux que j'étais incapable de lui procurer, ou de quelqu'un qui la raccompagne chez elle et reste avec elle?

Ce jour-là, je n'avais pas peur. J'étais prête à faire ce que je pouvais, consciente de mes limites. Mon désir de répondre au monde qui m'entoure, de faire simplement ce que je suis capable de faire face à la situation qui se présente, était, pendant un moment, plus grand que ma peur de commettre une erreur, de me rendre ridicule. Ce n'est pas toujours le cas.

Je ne veux pas savoir quel âge vous avez. Votre âge me dit depuis combien de temps vous existez mais pas ce que vous avez fait du temps précieux qui vous a été accordé. Durer, endurer, ce n'est pas suffisant. Parlez-moi des fois où vous avez pris un risque et de la façon dont vous avez réagi à la peur. Est-ce que vous vous durcissez, ressentez de la honte, avez recours aux cajoleries ou aux arguments de la raison, ou est-ce que vous vous étourdissez simplement dans l'excès de travail, l'alcool ou le chaos de votre drame émotionnel?

La peur fait partie de la vie. Parfois, dans les situations dangereuses, elle peut nous sauver la vie. Elle est une réaction naturelle à l'appréhension de la douleur et elle vient de la certitude que, si nous vivons et aimons pleinement, nous éprouverons les deuils qui font inévitablement partie du cycle constant des changements de la vie. J'ai vu la publicité d'un atelier Nouvel Âge qui promettait d'éliminer pour toujours la peur de la vie des participants ou de leur remettre leur argent. J'ai demandé à une personne qui avait assisté à l'atelier si elle croyait vraiment qu'elle pourrait obtenir un remboursement si elle disait aux animateurs qu'elle avait ressenti de la peur après le séminaire. Elle m'a répondu que les participants avaient été prévenus qu'ils pourraient ressentir l'«illusion de la peur» après avoir suivi le cours, mais que ce ne pourrait pas être véritablement de la peur.

Je ne crois pas que la négation de la peur puisse nous libérer de celle-ci.

Assise avec mon mari dans le bureau du conseiller matrimonial, je joins mes mains et je serre fort. Je lui ai dit que je le quittais. Il est assis, les épaules arrondies comme par un poids considérable, me priant silencieusement de rester. Le conseiller me demande si je serais disposée à reporter de trois mois ma décision de partir. Dans les instants qui suivent, le temps s'étire à l'infini, mes sens sont avivés. Je sens l'odeur de cuir du sofa et ma propre sueur, je nous entends respirer tous les trois et j'entends l'horloge qui fait doucement tic-tac sur la table. Je vois ma bouche ouverte, mes lèvres sèches, et j'entends la syllabe unique quitter ma bouche et résonner dans la pièce, précipitée par un vide à l'intérieur de ma poitrine. C'est ça, la peur.

«Non.»

Quelque chose en moi explose en un grand silence qui dévore tous les sons de la pièce, tandis que le mot se pose sur nous comme la cendre après le feu dévastateur. Ce qui me surprend le plus dans les moments qui suivent, c'est que la terre continue de tourner. Nous sommes toujours là, dans la pièce, les murs sont toujours debout, le bruit de la circulation recommence à percer dans le silence terrible, la respiration suivante est stimulée par la force indéniable de la vie qui continue. J'ai moins de 1 000 $. J'ai besoin d'un travail, d'un logement, d'une garderie bien tenue à prix abordable, et j'ai besoin de tout cela rapidement. L'inconnu s'ouvre devant moi. Je sais seulement que je pars, que je ne quitterai pas mes fils et que je ne veux pas non plus les priver de leur père. Je ne sais pas si la solitude sera supportable, si je vais me casser la figure.

Le désir est plus fort que la peur, plus violent que la souffrance. Mon deuxième mari est un homme bon; notre vie n'était pas mauvaise. Ce n'était tout simplement pas *ma* vie. Je devais quitter la vie que j'avais construite et aller vers la vie à laquelle j'aspirais.

Chaque fois que je suis mes désirs les plus profonds, la peur est là qui me tord les mains et me met en garde contre d'innombrables éventualités. Je n'essaie pas de lui opposer des arguments raisonnables sur les risques acceptables. Je n'essaie plus de me forcer à agir par amour-propre en m'exhortant à cesser d'être une poule mouillée, et je ne prétends pas non plus que je n'ai pas peur. Je vais simplement dans la direction que j'ai choisi de suivre, et je m'efforce de faire les choses qui m'aideront à maintenir la peur à un niveau qui me permette de continuer de la sentir sans m'empêcher de poursuivre ma route. Je me couche tôt, je mange bien, je vois des amis et je fais de longues marches au bord du lac. J'ai appris que ce n'est pas parce que l'on fait les choses à la dure que l'on est assuré d'en obtenir de plus grandes récompenses dans l'avenir.

Il y a plusieurs années, je dirigeais un refuge pour femmes où chaque femme avait l'occasion, au cours d'une cérémonie, de renoncer à sept choses qu'elle considérait précieuses dans sa vie, sept façons de se voir elle-même ou d'être perçue par les autres.

Le but de cette cérémonie n'était pas de dévaloriser les choses que nous chérissions. Plusieurs des objets de renonciation avaient de la valeur: être une bonne mère, une amie affectueuse, une travailleuse assidue, une artiste de talent. Mais souvent notre perception de ce que nous sommes ou de ce que nous devrions être nous vient de quelqu'un d'autre. Et parfois, bien que nous tenions nous-mêmes à ces valeurs, leur prédominance sous une forme particulière dans nos vies nous empêche de vivre d'autres aspects de ce que nous aimons et de ce que nous sommes. Les plus profonds désirs de l'âme s'intéressent rarement aux détails pratiques des paiements hypothécaires, des régimes de retraite, des engagements antérieurs, des honneurs passés ou des opinions des autres.

Un jour, quelques minutes avant la cérémonie, une femme m'a demandé si je pouvais l'assurer qu'elle ne romprait pas son mariage si elle choisissait de renoncer à son attachement au bien-être matériel et à sa réputation d'épouse exemplaire. «Non, lui ai-je répondu. Il n'existe aucune garantie. S'il y en avait, la cérémonie n'aurait aucune raison d'être. Je ne peux pas vous dire d'avance ce que sera votre choix, si vous regarderez votre mari et votre mariage et découvrirez que c'est vraiment là que vous souhaitez être. Votre attachement à l'argent et à votre statut de bonne épouse est peut-être la seule chose qui vous fasse rester là.»

Les autres femmes présentes étaient mal à l'aise dans le silence. «Alors, pourquoi faisons-nous cela?», demanda une autre femme. Pourquoi nous exposer aux risques inconnus que cette prise de conscience risquerait d'entraîner dans nos vies?»

J'ai réfléchi à ce que cela représentait pour moi. «Pour la liberté, ai-je répondu. Je prends le risque pour la liberté de voir ce qui est vrai, ce que je veux vraiment au plus profond de mon être. Je peux faire tous les choix que je veux dans ma vie, et j'assumerai les conséquences de mes choix. Mais si je veux vivre en harmonie avec mes désirs les plus profonds, je dois prendre le risque de découvrir qui je suis vraiment et ai toujours été. Après, je pourrai choisir.»

Dans la pièce, la peur était palpable.

La vérité, c'est que certains jours je me sens prête pour la liberté, et d'autres jours je me sens si fatiguée que je ne veux pas de la responsabilité que celle-ci implique. Je voudrais ne plus avoir à choisir, à essayer d'augmenter mon aptitude à faire des choix éclairés. Puis, dans un moment de grâce, j'éprouve une certitude: si je renonçais à tout jamais à la méditation, aux cérémonies, aux ateliers, aux séances de thérapie, aux cours, aux diètes purifiantes, si je n'assistais plus à aucune réunion, ne participais plus à aucun travail communautaire, n'écrivais plus une ligne... ce ne serait pas grave. Ce ne serait vraiment pas grave. Pendant un moment, tandis que je ressens pleinement la puissance de cette révélation, je me sens libre d'aller vers ce que j'aime.

Il y a plusieurs années, une étudiante atteinte du syndrome de fatigue chronique me disait: «J'ai peur de ne jamais devenir quelqu'un si je m'arrête pour me reposer.»

Je lui ai souri. «Et si je vous disais que vous ne deviendrez jamais rien d'autre que ce que vous êtes maintenant?»

Je savais de quoi elle avait peur. J'ai fait cela un millier de fois: confondre le travail avec l'accomplissement, l'activité frénétique avec le mouvement, la croissance et l'apprentissage. Nous avons peur de ne pas être assez bien. Tous nos désirs les plus profonds sont une façon pour notre âme de nous rappeler d'être simplement tout ce que nous sommes.

Parfois, quand je vois d'autres personnes suivre leurs désirs, je me surprends non seulement à me montrer négative, mais à éprouver de la colère, à me sentir menacée. Si je me suis convaincue que le manque d'argent et les besoins des personnes qui dépendent de moi sont les raisons qui m'empêchent de prendre le risque de faire un travail correspondant mieux à mes désirs profonds, l'homme ou la femme qui choisit de le faire et trouve le moyen de s'acquitter d'obligations semblables aux miennes, sans avoir de ressources financières supérieures aux miennes, ébranle ma certitude que je n'ai pas le choix. L'ironie, c'est qu'il m'arrive parfois de me convaincre de ma propre impuissance, et cette conviction me dispense de répondre aux désirs de mon âme. Les personnes qui choisissent de réagir différemment menacent les fondations de mon aveuglement.

Le désir tente de repousser les limites que nous avons tracées dans le sable pour indiquer: «Voilà le lieu où je ne veux pas aller, voilà le risque que je ne prendrai pas.» Et ce qui est facile pour une personne peut être difficile pour une autre. Peu importe où se trouvent nos limites, le risque de les dépasser paraît très réel. Nous risquons de confondre un désir pour un autre et de ne parvenir à le réaliser que dans l'étreinte de la déception. Convaincus que nous avons désespérément besoin de nous retrouver seuls, nous pouvons nous éloigner de l'autre et découvrir que notre désir est insatisfait dans la solitude. À la recherche de cet autre avec qui nous pourrions partager notre vie, nous pouvons plonger dans une relation qui nous met face à face avec une solitude que nous n'avions jamais connue quand nous étions seuls. Pour aller vers notre désir, nous devons nous permettre d'être ridicules, d'être la personne qui ne sait pas, celle qui recommence encore et encore.

On ne nous offre pas de garanties. Ce qu'on nous offre, c'est la connaissance de la vie et de nous-mêmes, et, si nous sommes vigilants, des aperçus de la sagesse contenue dans l'histoire que notre vie raconte au monde.

Quand je détourne les yeux de mon désir parce que j'ai peur de me sentir ridicule, je dois faire un effort pour masquer les fissures qui affaiblissent ma résolution d'abandonner l'intensité de mon désir. Mais mon âme est trop en harmonie avec la vie pour laisser tomber. Tard le soir, quand je suis trop épuisée pour repousser le désir, elle vient à ma recherche et me supplie d'être tout simplement avec elle et avec la peur qu'elle m'inspire. J'entends sa voix, faible et insistante. Elle me demande de me rappeler que le désir vécu apporte l'extase de l'amour de plus en plus profond que j'éprouve envers ma vie chaque jour. Et quand j'y pense, aucun risque ne me paraît trop grand.

MÉDITATION SUR LA PEUR

Mettez-vous debout dans un lieu où vous aurez suffisamment d'espace pour bouger. Restez immobile pendant un moment, concentrez-vous sur votre respiration, et laissez votre poids descendre dans la partie inférieure de votre corps. Sentez le contact du sol sous vos pieds pendant plusieurs respirations, en concentrant votre attention sur les inspirations et les expirations.

Maintenant, pensez à quelque chose que vous désirez ardemment. Ce peut être quelque chose d'interne ou d'externe, une situation ou une façon d'être. Fermez les yeux et imaginez la réalisation de votre désir. Comment serait votre vie, comment vous sentiriez-vous si ce désir se réalisait? Que veut votre âme? Comment sauriez-vous que votre désir s'est réalisé?

Maintenant, ouvrez les yeux et choisissez un point qui se trouve devant vous – ce peut être la porte de la pièce où vous êtes ou un arbre pas très loin. Concentrez-vous sur ce point et imaginez que c'est là que votre désir sera réalisé. Puis, lentement, en prenant conscience du passage de votre poids d'un pied à l'autre, du mouvement de vos muscles et de vos os, dirigez-vous vers ce point en gardant à l'esprit l'image de votre désir réalisé en ce lieu.

Ne bougez pas trop vite; concentrez-vous sur les sentiments qui montent en vous tandis que vous vous dirigez vers le lieu où votre désir sera réalisé. Si la peur se manifeste, ressentez-la, goûtez-la et continuez d'avancer en acceptant sa présence. Prenez conscience de la présence ou de l'absence de la peur. Ne la recherchez pas et ne la repoussez pas non plus. Contentez-vous d'en prendre conscience et continuez d'avancer lentement avec elle en pensant au désir vers lequel vous marchez. Si la peur vous paralyse, attendez. Continuez de l'éprouver, mais laissez le désir devenir plus grand que la peur, puis recommencez à avancer. Prenez conscience de la facilité ou de la difficulté avec laquelle vous attendez le retour de votre désir. Prenez conscience de la tentation qui vous séduit de ne pas ressentir la peur et de marcher plus rapidement vers votre désir. Prenez conscience du fait que toute tentative en ce sens crée un engourdissement qui dépouille votre désir de toute sa vigueur.

Quand je pratique cette méditation, je découvre souvent avec surprise que ma peur est plus ou moins grande que je l'avais imaginée. En recommençant l'exercice à des moments différents, je constate que ma peur n'est pas toujours la même. Graduellement, mon aptitude à ressentir la peur et à aller de l'avant augmente.

La douleur

Je ne veux pas savoir quelles planètes vous influencent.
Je veux savoir si vous avez touché le centre de votre propre douleur,
si les trahisons de la vie vous ont permis de vous ouvrir,
ou si la peur de souffrir encore vous a fait vous refermer sur vous-même.
Je veux savoir si vous pouvez regarder la souffrance en face,
la mienne ou la vôtre,
sans essayer de la cacher,
de l'atténuer
ou de la nier.

TOUTE VIE COMPREND de la souffrance et de la douleur. Cela fait partie de la condition humaine.

Si, quand nous nous rencontrons, il y a de la tristesse dans votre vie, dites-le-moi. Je peux écouter. Dites-le simplement. Si vous ne voulez pas me dire ce que vous ressentez, ne le faites pas. Ne me parlez pas de thème astrologique ou de famille dysfonctionnelle. Ne hochez pas la tête en me parlant de déplacements d'énergie et ne mettez pas la main sur votre poitrine, les yeux exorbités, en murmurant qu'il vous arrive des tas de choses. Dites-moi quelque chose de vrai, dans un langage enraciné dans le concret, qui vient du sang, du cœur et de l'esprit.

Que goûtez-vous, que voyez-vous et qu'entendez-vous quand vous touchez le centre de votre douleur? Quand je touche ma douleur, j'entends, de l'intérieur, le bruit des cheveux arrachés de ma tête. Je sens le goût du sang dans ma bouche, car mes lèvres se sont fendues sur mes dents. Je sens les crampes dans mes muscles, tandis que je me replie sur moi-même, les genoux sur le menton, parce que je voudrais être plus petite pour qu'il ne me trouve pas sous le bureau dans un coin sombre de notre minuscule appartement. Plus tard, il essaie de me convaincre que c'est ainsi que cela se passe dans l'intimité de tous les jeunes mariés. Et ce qui me rend le plus triste, c'est que pendant un court moment je m'abandonne et essaie de le croire. Je souffre pour la jeune femme que j'étais.

Je peux toucher cette douleur quand je veux. Et je choisis de le faire quand une jeune femme de 16 ans me parle, presque dans un murmure, du petit ami qui la gifle quand elle refuse d'avoir des relations sexuelles sans préservatif. Cela me permet d'être pleinement avec elle, sans la juger, quand elle me dit: «Ce n'est pas grave. Ce n'est pas grave ce qu'il me fait. Je l'aime.» Elle s'attend à être sermonnée et est surprise de voir des larmes sur mes joues. Je lui parle de la jeune femme pour laquelle je pleure – elle, moi – et ensemble nous nous rappelons que c'est grave ce qu'il lui fait.

Si nous sommes suffisamment fortes pour être suffisamment faibles, nous recevons une blessure qui ne guérit jamais. C'est le cadeau qui empêche notre cœur de se fermer.

Nous avons peur de la douleur – émotionnelle et physique – et nous voulons croire que nous pouvons éviter de vivre notre propre peine, que nous pouvons nous soustraire à la souffrance et ne rien perdre de la plénitude et de la joie de la vie. Ce n'est tout simplement pas vrai.

C'est difficile de ne pas s'éloigner de la douleur. Quand j'entends la jeune femme raconter son histoire de mauvais traitements, l'os au centre de ma poitrine me fait mal. Quand j'entends un bulletin de nouvelles à propos d'un essai nucléaire souterrain qui déchire la terre et la contamine de l'intérieur, mes genoux se nouent, je m'assieds soudainement, et je me rappelle ce que j'entendais, il y a des années, quand le côté de mon visage heurtait le sol. Je sais que le bruit des os qui se brisaient sur le carrelage, à l'intérieur de ma tête, et le bruit de l'explosion, à l'intérieur de la terre, sont en quelque sorte identiques. Cette certitude rend ma respiration difficile pendant un moment.

Je respire pourtant et je laisse les souffrances du monde me briser le cœur encore et encore, pour ensuite laisser les joies le rapiécer. Je veux apprendre à trouver le courage de respirer encore et de ne pas fermer mon cœur à moi-même et au monde devant la souffrance: je veux savoir aimer comme il faut.

Parfois, bien sûr, aimer comme il faut implique de faire des gestes. Nous pouvons arrêter les essais nucléaires. Nous pouvons élever les jeunes hommes et les jeunes femmes de manière qu'ils sentent que ce qui leur arrive est important, et nous pouvons offrir des refuges aux personnes qui sont victimes de mauvais traitements ou qui ont peur. Parfois, dans le feu de l'activité, dans le tourbillon de nos obligations, nous oublions que nous ne pouvons pas changer le passé. Les blessures du passé ne se soignent pas uniquement par le recours à l'activité frénétique justifiée par le fait que «la vie doit continuer».

Il y a quelque temps, aux États-Unis, deux jeunes garçons ont abattu leurs camarades de classe dans une école élémentaire. Moins de 24 heures après l'incident, les autorités de la communauté incitaient les résidents à «entreprendre le processus de guérison» et à «continuer à vivre». Nous avons tellement peur de la souffrance. Des enfants avaient tué des enfants. C'était difficile à admettre. Les gens avaient à peine eu le temps de sentir la perte, de reconnaître leur douleur, que ces hommes et femmes voulaient escamoter la souffrance et la tristesse et passer directement à la guérison. Ce n'est pas possible. On ne peut s'en sortir en faisant un détour pour éviter la souffrance. La blessure que l'on n'a pas pleinement ressentie nous consume de l'intérieur. Nous devons courir très vite pour qu'elle ne nous rattrape pas. Épuisés, nous essayons de la noyer dans l'alcool, la drogue, le travail, la télévision, l'activité physique. Nous sommes une espèce pleine de ressources: nous pouvons avoir recours à n'importe quoi pour nous anesthésier. En le faisant, nous nous empêchons également de ressentir la joie. La vie se dévalue et, si nous sommes ne serait-ce que légèrement engourdis, nous pouvons difficilement trouver la sagesse dont nous avons besoin dans nos vies et dans notre monde.

Il est difficile de comprendre la souffrance des autres si nous sommes détachés de la nôtre. Depuis mon enfance, j'ai toujours cru que j'avais la responsabilité de soulager les souffrances des autres. J'ai découvert que souvent, sous ce désir authentique et admirable, je cachais mon incapacité d'être en contact avec ma propre peine. Il y a plusieurs années, tandis que j'étais témoin de la souffrance d'une amie atteinte d'un anévrisme au cerveau qui lui avait enlevé la vie qu'elle connaissait, j'ai écrit dans mon journal: «Je ne demande pas grand-chose. Mais si vous pouviez seulement me laisser sauver sa vie, peut-être que je ne souffrirais pas tant de savoir que je suis incapable de sauver la mienne.»

Les mots m'ont choquée, même au moment où je les ai écrits. Pourquoi avais-je l'impression que ma vie avait besoin d'être sauvée?

Je ne puis me soustraire, ni soustraire ceux que j'aime, à la peine inhérente à la vie. Sachant cela, je suis tentée de me protéger de la souffrance en me fermant simplement un peu à la vie, surtout dans les domaines où j'ai été blessée, dans ceux qui comptent le plus. Quand mon deuxième mariage a pris fin, j'ai commencé à dresser méticuleusement des frontières, certaines étant très valables, mais plusieurs étant inspirées par ma peur de souffrir de nouveau. Oh, je sais bien ce que vous pensez. Mais ce n'est pas que j'aie été blessée si souvent. Mes frontières demeurant rigoureusement intactes, je gagne maintenant toutes les escarmouches que je meurs d'envie de perdre à la frontière, et mon territoire reste inviolé. Je veux apprendre à conserver les frontières dont j'ai besoin tout en m'unissant pleinement à une autre personne.

Alors, j'enseigne ce que j'ai besoin d'apprendre. Quand j'anime un atelier, je demande aux participants de prendre la responsabilité de demander ce dont ils ont besoin et de rester en dehors des cercles des autres, d'être tout simplement en présence les uns des autres. Je les mets en garde: «Parfois, durant une séance, un homme ou une femme se sent bouleversé et commence à pleurer. Si votre premier mouvement est d'aller vers lui ou elle, ne le faites pas. Demandez-vous pourquoi cela vous est, à vous, si difficile de laisser l'autre ressentir ses émotions. Pourquoi souhaitez-vous que la souffrance disparaisse? Restez assis calmement, et essayez d'être présent à l'autre, à vous-même et à vos réactions, sans bouger. Si, après un moment, vous voulez offrir quelque chose – un contact physique, un mouchoir, un verre d'eau – demandez avant de bouger. Demandez à la personne en détresse si vous pouvez faire quelque chose, si elle aimerait que vous vous rapprochiez d'elle, avant de le faire. Et si elle répond non, croyez-la, même si vous pensez que c'est son incapacité de recevoir du réconfort qui la pousse à rejeter votre offre. Si vous essayez d'entrer dans son cercle sans y avoir été invité, je vais vous en empêcher.»

En 14 ans de travail d'animation, je n'ai jamais été obligée d'intervenir pour empêcher une personne de mettre un frein aux manifestations de souffrance d'une autre. La plupart des gens ont vivement besoin de frontières claires. En fait, une des raisons pour lesquelles les gens sont souvent mal à l'aise devant le récit de la souffrance des autres est qu'ils ont l'impression que le seul fait d'écouter les obligera à faire quelque chose pour soulager la peine. Au fond de nous-mêmes, nous savons que bien souvent nous ne pouvons rien faire pour atténuer la peine de l'autre, et nous ne savons pas comment vivre avec cette certitude.

Nous vivons dans une culture qui exige uniquement des moments de plénitude, qui nie souvent carrément les moments de déclin. Nous avons oublié qu'il ne peut y avoir de pleine lune sans qu'il existe d'autres moments où seul un mince filet de lumière perce l'obscurité. La plénitude de l'été est équilibrée, de l'autre côté de la roue, par la saison de la nuit la plus longue. Être séparé de ces cycles du monde, de la naissance et de la mort, c'est être séparé de la vie même. Nous n'en travaillons pas moins frénétiquement à rechercher la connaissance qui placera les êtres humains à l'extérieur du cycle naturel de l'épanouissement et du déclin.

Comme de nombreuses personnes de ma culture, j'ai mis ma confiance dans la connaissance. Au-delà de toutes mes craintes pour l'avenir, j'ai voulu croire que la connaissance, l'accumulation d'informations et la compréhension nous empêcheraient de détruire la planète et de nous détruire les uns les autres, nous préserveraient des désastres de la médecine et des catastrophes naturelles, du vide et de la souffrance qui sont souvent enfouis au centre de nos vies trépidantes. Je me suis tournée vers l'exploration scientifique, l'analyse psychologique et la quête spirituelle. Et j'ai appris beaucoup en tentant d'atteindre le salut espéré grâce aux livres, aux écoles, aux gourous et à Internet. Tout est là, à portée de la main: le comportement des particules subatomiques, les mystères des synapses du cerveau, les phénomènes astronomiques, les mantras et les mudras, et les mouvements qui purifient et illuminent. La luminescence de la connaissance envahit nos vies comme des projecteurs dans les stades la nuit, illuminant chaque recoin, chaque brin d'herbe et chaque molécule d'astroturf.

Ce n'est pas que toute cette connaissance soit inutile. Comme bien d'autres, j'ai acquis beaucoup de lucidité avec le temps. Je comprends mes névroses, mes démons, mes maladies, mes schémas relationnels. Et grâce à mes efforts diligents je dispose de tout un arsenal de méthodes éprouvées pour améliorer ma santé, ma vitalité et ma sensibilité. Je suis une bonne étudiante. Je suis une femme fatiguée.

Et après tout ce temps, au plus profond de moi, je sais ce que j'ai toujours su: que la connaissance ne sera jamais suffisante.

C'est le secret que nous refusons de nous révéler à nous-mêmes. Du moment qu'il est révélé, nous prenons conscience du fait que nous avons besoin d'autre chose: la sagesse de vivre avec ce que nous ne savons pas, avec ce que nous ne pouvons contrôler, avec ce qui est douloureux... et de choisir tout de même la vie.

La sagesse naît souvent de l'ombre; elle est fréquemment plus visible dans l'obscurité que dans la lumière. Les lumières de la connaissance qui cherchent à éliminer les cycles naturels du jour et de la nuit, de la naissance et de la mort, de la joie et de la tristesse ne projettent pas d'ombres, elles ne produisent qu'un éblouissement continu. Nous devons pénétrer dans des lieux plus sombres pour trouver la sagesse dont nous avons si désespérément besoin. Nous le faisons rarement de notre plein gré, bien que toute vie contienne ses propres cycles de douleurs et de réjouissances. Pour trouver la sagesse dans les ténèbres, nous devons être disposés à accepter tout ce que la vie nous donne, à ne rien exclure de nous-mêmes et du monde, à nous dire la vérité. La sagesse nous transportera bien au-delà des lieux où nous pensions pouvoir ou vouloir aller. Elle nous montrera ce que nous ne pouvons pas changer ou contrôler, nous révélera ce que nous avons de la difficulté à admettre sur nous-mêmes et le monde, et détruira nos illusions sur ce que nous croyons savoir, jusqu'à ce que nous soyons submergés par l'immensité du mystère.

Et pendant ce temps, la sagesse nous demande de choisir la vie. Elle ne nous demande pas seulement de continuer, de nous cramponner, de survivre. Elle nous demande d'expérimenter la vie activement, pleinement, chaque jour... d'être ouverts à tout.

Nous avons souvent peur de nous noyer dans notre douleur si nous nous approchons d'elle. Nous craignons de ne plus jamais pouvoir fonctionner normalement si nous ouvrons nos cœurs à nos blessures et à celles du monde, parce que nous serons envahis d'une telle tristesse que toutes les bonnes choses de la vie nous deviendront inaccessibles. Ces craintes nous éloignent de la seule chose qui puisse conférer un sens à notre peine ou simplement la rendre supportable: l'intimité, c'est-à-dire la possibilité de vivre en union complète avec nous-mêmes, avec une autre personne et avec le monde.

J'ai beaucoup appris sur la façon de vivre avec la souffrance il y a quelques années, alors que j'éprouvais la douleur physique du syndrome de fatigue chronique. Je passais des journées entières au lit, fiévreuse, avec l'impression que chaque muscle de mon corps était arraché de mes os. Mes articulations étaient douloureuses, des migraines atroces me faisaient exploser le crâne, accompagnées de nausées et de vomissements. Le mouvement et les distractions ne faisaient qu'empirer mon état. Les analgésiques soulageaient à peine mes maux. Certains jours, j'arrivais tout juste à m'accrocher, à continuer de respirer.

Un jour, je me suis rappelé comment j'étais venue à bout du travail quand j'ai accouché de mes fils, en suivant le mouvement de mes inspirations et de mes expirations. Étendue dans mon lit, j'ai cessé de penser à la douleur, à ma crainte que celle-ci dure toujours, à mon inquiétude sur ma capacité de m'occuper des enfants à leur retour à la maison, à mon anxiété face à l'avenir. Cette angoisse mentale était simplement une autre façon d'essayer d'éviter de sentir la douleur. Après avoir doucement éloigné ces pensées de mon esprit, j'ai concentré mon attention sur mes sensations corporelles, sur ma respiration. Lentement, j'ai commencé à détendre les muscles que j'avais contractés dans une vaine tentative pour m'éloigner de la douleur à l'intérieur de mon corps. Je me suis concentrée, une respiration à la fois. La douleur n'a pas disparu, mais, comme par miracle, elle est devenue supportable.

Seule dans mon lit, tandis que je me contentais d'être et que j'empêchais doucement mon esprit d'ajouter la souffrance à la douleur, j'ai soudain entendu par la fenêtre la note la plus aiguë et la plus claire du chant d'un oiseau. Celle-ci a pénétré en ondulant jusqu'au centre de mon corps comme un courant électrique, puis une sorte de frisson m'a parcourue. Mon regard s'est posé sur le vert éclatant des feuilles de l'érable dans la cour, et j'ai respiré le doux parfum de la brise qui agitait les rideaux, les faisait tournoyer vers l'intérieur comme une inhalation alignée sur ma propre respiration. Tous mes sens étaient aiguisés. Ce fut l'un des moments de plaisir les plus exquis de ma vie. La douleur était encore là, mais mes efforts pour être avec elle m'avaient fait prendre conscience de la beauté stupéfiante de la vie contenue dans les petites choses qui m'entouraient. Peut-être pour la première fois, je me suis reposée. C'était le début de mon lent et sûr cheminement vers la guérison.

Je ne suis pas une puriste. Quand j'ai un mal de tête, je prends un analgésique. Mais en plus je m'assieds et je me repose, plutôt que de poursuivre ma journée à fond de train comme si le mal de tête n'existait pas. Et quand j'éprouve une douleur émotionnelle – quand je suis malade d'inquiétude à l'égard des difficultés de mon fils à l'école, ou quand je souffre de solitude, ou quand une personne que j'aime me ment – je puise dans l'expérience que j'ai connue sur le plan de la douleur physique. Je m'assieds et je me concentre sur ma respiration. Je m'arrête à ressentir la douleur dans ma poitrine. Je relâche les muscles de mes bras et de mes jambes, et je m'imagine que mon cœur se détend et que je sens pleinement ce qui s'y trouve. Je m'efforce de ne pas m'occuper, de ne pas nettoyer la maison ou de poursuivre mon travail, de ne pas rechercher immédiatement des solutions ou un soulagement.

Quand la douleur est grande et que je sens que je ne pourrai pas ouvrir les bras assez largement pour la contenir, je formule une prière toute simple: «Aidez-moi!», et je me laisse porter par quelque chose qui est plus grand que moi-même. Parfois, je me laisse bercer par la présence d'une amie ou d'un membre de ma famille qui a appris comment vivre avec la peine, comment être avec l'autre.

Ça marche. Je trouve avec moi-même et le monde l'intimité dont mon âme a faim et, en étreignant une autre personne ou en me laissant étreindre, je parviens à récupérer les morceaux de moi-même que j'avais égarés dans mes tentatives pour fuir la souffrance. Je retrouve l'optimisme dont je m'étais séparée quand mes espoirs avaient été anéantis. Je trouve la femme qui désire un homme, la femme que j'avais oubliée quand la solitude semblait insupportable. Je retrouve cette partie de moi-même qui aime la Terre comme une sœur sacrée, cette partie de moi-même que je tente parfois de laisser derrière quand j'ai peur d'être incapable de supporter ma douleur devant sa dévastation aux mains de mon peuple.

Quand nous apprenons à vivre avec notre peine, nous retrouvons les parties de nous-mêmes que nous avions tenté d'oublier, et nous parvenons de nouveau à les aimer. Nous trouvons notre plénitude, et nous rejetons l'impossible idéal de perfection qui nous empêche de parvenir à la sagesse dont nous avons besoin pour vivre pleinement et dans la compassion avec notre humanité et avec le monde.

MÉDITATION POUR S'ATTIRER DES GRÂCES

J'ai conçu la présente méditation pour une personne seule. Si vous la faites avec une autre personne, il vous suffira de donner et de recevoir chacun à votre tour. Vous pouvez modifier les mots de la façon qui vous aidera le mieux à vous unir à ce qui est plus grand que vous.

Asseyez-vous confortablement et prenez trois respirations: inspirez par le nez et expirez par la bouche. À chaque expiration, laissez descendre votre poids vers le bas de votre corps et laissez toute tension ou fatigue s'éloigner doucement. Passez quelques minutes à suivre simplement le mouvement de l'air qui entre dans votre corps et qui en sort, à regarder votre ventre qui se contracte et se relâche, votre poitrine qui se soulève et s'abaisse. Si des pensées vous viennent à l'esprit, ramenez doucement votre attention à votre respiration.

Maintenant, levez vos mains, joignez-les devant votre visage de façon à pouvoir sentir votre souffle sur vos paumes en expirant. Reportez votre attention, en descendant le long de votre corps, à la terre sous vos pieds. Offrez une prière à notre Mère la Terre. «Notre Mère la Terre, envoyez-moi votre amour pour cette personne, votre fille/fils (dites votre nom ou celui de l'autre personne). Remplissez mes mains de votre amour et de votre bénédiction pour elle/lui/moi-même.»

Puis, imaginez que votre souffle vient de la terre, remonte dans votre corps et passe par votre cœur à chaque inspiration. À chaque expiration, soufflez dans vos mains l'amour et les bénédictions de notre Mère la Terre, pour transformer vos mains en mains usées et aimantes comme celles d'une grand-mère. À chaque respiration, imaginez que vos mains se remplissent d'une immense boule de lumière éclatante. Il est possible que vous sentiez un picotement ou une chaleur entre vos doigts. Continuez jusqu'à ce que vous sentiez que vous tenez tout ce que vos mains peuvent contenir, que ce ne sont plus vos mains, mais celles de notre Mère la Terre.

Tout doucement, quand vous vous sentirez prêt, déplacez vos mains vers le dessus de votre tête. Touchez délicatement vos cheveux; imaginez que ce sont les mains d'une grand-mère qui touchent la tête d'une petite-fille ou d'un petit-fils qu'elle aime. Laissez-vous envahir par son amour et sa bénédiction. Ramenez lentement vos mains vers votre visage, touchez doucement vos yeux, vos lèvres, vos joues, en prenant conscience de la beauté que cette grand-mère voit en vous. Imprégnez-vous de sa bénédiction et ramenez vos mains vers votre corps. Allez vers les endroits qui ont selon vous besoin de cette bénédiction. Laissez-vous guider par votre intuition. Laissez l'amour et la bénédiction que vous avez tenus dans vos mains adoucir les lieux qui se sont durcis en vous. Sentez votre cœur se détendre et s'ouvrir. Fortifié et porté par la bénédiction de notre Mère la Terre, accueillez dans votre cœur les parties de vous-même que vous aviez tenté d'oublier.

Dites merci.

La joie

Je veux savoir si vous pouvez laisser la joie vous habiter,
la mienne ou la vôtre,
si vous pouvez danser de bonheur
et vous laisser remplir d'extase jusqu'au bout
des doigts et des orteils,
sans faire appel à la prudence,
au réalisme,
sans rappeler les limites de la condition humaine.

RACONTEZ-MOI UN MOMENT DE JOIE que vous avez connu dans votre vie. Ce moment vous a-t-il permis de raviver votre cœur, de retrouver votre aptitude à vivre pleinement? Quand avez-vous ri la dernière fois jusqu'à vous tenir les côtes? Osez-vous perdre le contrôle et vous laisser porter par la joie?

J'adore ces moments de joie impossible, qu'ils se présentent dans le cours d'une journée ordinaire ou à l'occasion d'une expérience d'extase extraordinaire. Certaines personnes essaient de nous convaincre que nous devons choisir: elles nous mettent en garde contre la bouffée d'émotion extatique qui accompagne les moments de magie authentique, nous exhortent à nous concentrer uniquement sur la joie que procurent les moments ordinaires. Leur mise en garde est compréhensible. Les moments d'union mystique peuvent nous inciter à passer notre vie à la recherche de ces expériences ultimes, ce qui peut nous faire perdre la capacité ou la volonté de goûter le même bonheur offert dans les expériences les plus simples, dans le goût de la mangue fraîche qu'on déguste lentement ou dans un délicieux moment de tranquillité.

Je suis gourmande. Je veux tout. Je veux les petites joies quotidiennes. Je veux célébrer les anniversaires, les remises de diplômes, les journées bien vécues, *et* je veux aussi connaître l'extase, la vision du tout qui dissout mes frontières et me permet de goûter le Dieu qui vit en moi et autour de moi. Je suis une femme comblée, parce que j'ai les deux. Et j'ai appris que l'extase du jus de mangue sur ma langue et celle de l'union avec l'Esprit ne sont pas aussi différentes que je le croyais autrefois.

Nous préparons un repas spécial pour célébrer la fin du semestre scolaire de mes fils. La preuve que c'est spécial, c'est que nous prenons ce repas dans la salle à manger. Nous sortons la porcelaine de Chine (ce n'est pas de la porcelaine extraordinaire, mais elle a un motif différent de celle que nous utilisons tous les jours et elle est moins ébréchée). Je m'affaire à transporter en vitesse tous les plats de la cuisine à la table tandis qu'ils sont encore chauds: la dinde, la farce, les pommes de terre en purée, la sauce, le brocoli et les courgettes. J'ai chassé Taras, l'homme qui partage ma vie de plus en plus, et les garçons de la cuisine. D'un œil distrait, je passe la table en revue pour m'assurer que je n'ai rien oublié avant de m'asseoir, et je m'aperçois que Taras m'observe. Je suis toute rouge, et quelques mèches ont échappé aux épingles à cheveux et s'enroulent autour de mon cou. Ma robe est froissée et me colle au corps par endroits parce que la chaleur de la cuisine m'a fait transpirer.

Soudain, Taras se lève en souriant et vient vers moi de l'autre bout de la table. «Mon Dieu que tu es belle!», dit-il en me prenant par la taille d'un bras fort et assuré. «Regardez-la, les garçons, dit-il à Brendan et Nathan. N'est-ce pas que votre mère est belle?» Son exubérance inattendue emporte ma conviction. Il commence à fredonner la valse *Le Beau Danube bleu*, et il se met à danser en m'entraînant autour de la table, tandis que je proteste faiblement que le repas va refroidir. Mes cheveux sont complètement défaits et tombent autour de mes épaules, mais je m'abandonne. Nous dansons et nous rions; les garçons se joignent à nous et nous tourbillonnons autour de la table couverte de nourriture. Finalement, nous nous arrêtons, épuisés, et nous nous effondrons sur nos chaises en riant aux éclats. Ça n'a aucune importance que les aliments aient refroidi. Nous restons assis un moment, calmes et souriants, à reprendre notre souffle et à regarder nos visages radieux.

La joie nous trouve et nous transporte dans des moments ordinaires comme celui-là, si nous l'acceptons. Et l'extase que nous ressentons alors, l'ouverture à la vie, ne sont pas vraiment différentes de ce que nous trouvons dans la quête spirituelle ou les rites mystiques, bien que ces expériences aient une façon bien à elles de nous transformer.

Un jour où je participais à une retraite organisée par une amie dans la tradition de la méditation yogique, j'étais disposée à m'abandonner à la méthode ancienne, bien que je n'aie pas l'habitude de travailler de cette façon. Pendant quatre jours, je suis restée assise devant une autre personne, qui me répétait encore et toujours les mêmes mots: «Dites-moi qui vous êtes.» Chaque fois, j'entrais en moi-même et je concentrais ma volonté sur l'expérimentation directe du «Je suis» qui se trouve au-delà de la pensée, des mots et de l'action. Tandis que je renonçais à ma conception de ce que je suis, à mes préjugés sur ce que devait être l'expérience, mon corps a commencé à bouger. Mon dos s'est cambré tandis que j'inspirais, mes épaules se sont rejetées en arrière, et mon visage s'est tourné vers le ciel avec un long soupir qui s'est transformé en plainte sourde à l'expiration. Mes muscles se contractaient et se relâchaient en un rythme ondulant. Chaque fois que j'entrais en moi-même, le mouvement devenait plus intense, ma respiration de plus en plus profonde et rapide. Ce n'était pas du tout ce que j'avais prévu. J'avais imaginé une sorte de paix sereine ou une sensation de bien-être général, un calme infini – pas cette chaleur, ce flux d'énergie, cette explosion de sensations et de mouvements dans mon corps. Graduellement, j'ai cessé de me préoccuper de ce que les autres pouvaient penser et je me suis abandonnée de plus en plus à l'expérience immédiate.

Finalement, quand j'ai cessé d'avoir peur, j'ai eu l'impression de chevaucher un dragon dans le ciel la nuit. J'ai senti le feu que je suis moi-même et qui est plus grand que moi, et j'ai voyagé sur les flammes. Les frontières entre moi et les murs de la pièce, le sol sous moi, la personne devant moi et les arbres à l'extérieur se sont dissoutes dans le brasier. Tous les contours sont devenus de cendre. Rien n'existait plus que le dragon, dont les ailes étaient faites de plumes turquoise, vermillon et azur. Pendant un moment, j'ai eu peur qu'il me transperce. Il le fit et je suis devenue le dragon. La joie de l'union me comblait, bien que la chaleur ait continué de me brûler. J'étais la chaleur et la brûlure.

Il est plus facile de raconter qu'on a dansé autour de la table de la salle à manger que de décrire une union mystique avec le mystère. La métaphore ne peut qu'esquisser de manière approximative ce qui se situe au-delà des mots. Pourtant, la joie que procurent l'ordinaire et l'extraordinaire réside dans l'expérience de l'union, dans le lieu où nous éprouvons notre sentiment d'appartenance personnelle. Après avoir directement expérimenté ce que je suis, je me suis mise à rire. Toutes mes inquiétudes relatives à l'avenir et tous mes ressentiments à l'égard d'événements passés m'ont paru, à ce moment, tout à fait minuscules comparés à l'immensité dont j'étais partie. C'est alors que j'ai su que la joie – la joie réelle, qui ne renie pas les difficultés de nos vies – est un choix. La joie nous trouve quand nous exultons devant notre sentiment d'appartenance: à une autre personne, à nous-mêmes, au monde, au Mystère qui est plus grand que nous.

Quand vous partagez votre joie avec moi, vous me dites à quoi vous appartenez. La joie de danser dans la salle à manger m'indique que, à la fin de la journée, quand tout a été fait, de manière efficace ou non, j'appartiens aux personnes que j'aime. En chevauchant le dragon, je goûte la joie d'appartenir à la force vitale de l'Univers même et de l'incarner.

Pourquoi est-il souvent si difficile pour nous de choisir la joie, surtout dans les moments où nous vivons des situations difficiles? Je pense parfois que c'est parce que nous ne savons tout simplement pas comment faire. Plusieurs de nos rites séculaires de célébration et de détente consistent à nous éloigner de ce qui est, à nous engourdir, ne serait-ce qu'un peu, avec de l'alcool et des drogues. Comme le disait un jour un de mes étudiants: «Nous ne semblons pas très bien savoir comment nous détendre sans nous engourdir.» La musique et la danse sont évidemment des exceptions à cette règle, mais dans notre culture nous sommes trop souvent des spectateurs plutôt que des participants dans la création du son et du mouvement de la fête.

Je veux cultiver des façons de célébrer la joie et je veux reconnaître et savourer les moments de joie qui se présentent. Je veux profiter de toute la variété de plaisirs qu'offre la vie, même quand certaines joies paraissent aux autres incompatibles et contradictoires.

J'aime ma maison, avec tous ses meubles soigneusement choisis: l'ensemble de salle à manger en acajou foncé de ma grand-mère, avec les tasses en porcelaine et le cristal disposés tels qu'ils l'avaient été chez elle pendant 50 ans dans la petite armoire aux portes vitrées; mon imposant lit à quatre colonnes avec la couette blanche; les couleurs vives des pièces: le bleu sombre du ciel et le brun rouge de la terre. J'éprouve tout autant de bonheur dans ma petite roulotte à côté du lac dans la nature. J'ai l'impression que je n'aurai jamais besoin de rien d'autre que de la petite annexe en panneaux de particules grossièrement peints et du petit poêle à bois en fer-blanc, tandis que j'apporte de l'eau fraîche du lac en jouissant du plaisir de n'avoir que deux petites pièces à nettoyer. J'ai passé cinq semaines seule à cet endroit, sans entendre aucune voix humaine, dans un parfait contentement. J'éprouve mon bonheur secret tard la nuit quand un million d'étoiles se reflètent à la surface calme du lac. Je cesse de pagayer, je m'étends sur le dos au fond du canot et je dérive sur l'eau dans le silence, portée par un million de points lumineux au-dessus et au-dessous de moi, mon cœur débordant de la joie d'être en vie sur cette planète magnifique.

Je résiste aux voix, intérieures et extérieures, qui me disent que je dois choisir entre les bonheurs, que je dois choisir des plaisirs conformes à un certain style de vie. Je veux jouir du plaisir d'étirer mes muscles en montant sur le toit de l'annexe dans la chaleur du jour, le dos couvert de sueur, le jean tout poussiéreux, pour goudronner les coutures et ainsi protéger l'intérieur contre la pluie imminente, puis, de retour à la ville le lendemain, avoir le plaisir d'enfiler une robe de satin, des bas de soie et des talons hauts pour aller à l'opéra. Dans l'obscurité du théâtre, je me concentre sur la joie que me procure une note déchirante chantée avec audace.

Accepter la joie signifie être disposé à s'étirer, à grandir pour la contenir toute. Avec la joie, nous tendons les bras pour étreindre l'ampleur du tout – de nous-mêmes, du monde, du Mystère. Et cela nous effraie. On nous a appris que, si nous sommes trop conscients de notre grandeur, nous manquerons d'humilité ou susciterons dangereusement l'envie des autres.

Une des choses les plus importantes que l'on m'ait jamais dite, c'est: «Il ne faut jamais t'excuser pour ce que tu fais bien.» Et je ne le fais pas. Je me réjouis de ce que je fais bien, je me sens heureuse de mes capacités, j'essaie de trouver des moyens de partager les cadeaux que j'ai reçus. Je joue du piano, très mal, sans espérer de jamais jouer très bien. Je joue, parce que cela m'aide à me détendre sans m'engourdir, parce que cela m'empêche de me prendre trop au sérieux et parce que cela me rappelle que la joie réside dans ce que je fais bien *et* dans ce que je fais moins bien. Les personnes avec qui je choisis de vivre en intimité doivent pouvoir reconnaître les deux types de joies.

Je fais très attention de ne pas encourager, même par mon silence, les efforts que peuvent faire les autres pour diminuer la grandeur dans nos vies. Une jeune femme, blasée par le passé et effrayée par l'avenir, hausse les épaules et me dit d'une voix railleuse qu'elle se trouve au stade «je veux passer le reste de ma vie avec toi» dans une nouvelle relation. Je sursaute, je l'interromps et je lui demande de ne pas faire cela: de ne pas détruire ce lieu précieux où l'amour naît, ce moment magique où tout semble possible. Je lui demande de partager sa joie avec moi, son enthousiasme, sa peur et son espoir que l'amour est possible. Elle commence à pleurer. La joie l'effraie plus que la douleur. La douleur est familière. La joie engendre de dangereux espoirs et des possibilités de déceptions.

Nous avons tellement peur de souffrir d'une déception que nous méprisons souvent ce qui est nouveau et plein d'espoir, que nous prévoyons les lacunes et les échecs, que nous nous privons de la joie qui soulève nos cœurs. Pour peu que nous ayons vécu, nous savons qu'il y aura des épreuves, que le bonheur d'un nouvel amour sera modifié par les détails pratiques de la vie à deux. Nous n'avons pas besoin de nous faire rappeler que la personne que nous aimons est humaine, même si, en touchant au divin en elle, nous l'avons oublié pendant un moment: la vie nous le rappellera bien assez tôt.

L'ennemi de la joie est la conviction que rien n'est «assez bien» de ce qui est ou pourrait être, c'est la découverte des imperfections, réelles ou imaginaires. Je suis très douée à cet égard: mon perfectionnisme me porte à détruire un tout imparfait jusqu'à ce qu'il soit en pièces. Une partie de mon être se précipite vers la déception pour tenter d'éviter la douleur d'être surprise par un abandon imprévu. Ce n'est qu'une autre façon d'essayer de sentir que je garde le contrôle. Pour ressentir la joie, nous devons faire confiance au moment et l'accueillir dans sa plénitude pour ce qu'il est. Nous devons être disposés à reconnaître que souvent nous n'avons pas le contrôle... et que c'est une chance. Et nous devons croire que nous méritons d'avoir la joie dans nos vies.

Il y a plusieurs années, ma mère et moi discutions du taux élevé de divorces dans notre culture. «Les gens, dit-elle d'un ton neutre, ont trop d'attentes de nos jours.»

«Non, ai-je répondu avec une rapidité et une tristesse qui m'ont surprise moi-même, ils n'en ont pas assez.»

Nous avions bien sûr toutes les deux raison. Nous espérons souvent connaître la romance des films à la saveur «ils vécurent heureux jusqu'à la fin des temps» et nous négligeons les petites joies imparfaites du quotidien. Souvent aussi, nous attendons trop peu de joie et ce dont nous nous contentons ne peut suffire à l'épanouissement de notre âme. Ce n'est pas que je m'attende à me sentir heureuse tous les jours. En fait, j'aime l'insaisissable noyau de sens, le déroulement parfois difficile de l'histoire globale, plus que les sentiments de bonheur fugitifs. La vie est très courte et précieuse. Nous pouvons faire toutes sortes de choix judicieux pour vivre des vies significatives, productives et débordantes de tendresse. Les choix qui nous procurent le plus de joie sont naturellement les plus faciles à maintenir, ceux qui nous permettront de donner le meilleur de nous-mêmes. Et il ne s'agit pas toujours de faire les choix qui nous procurent la plus grande satisfaction immédiate. Une sorte de joie très spéciale réside dans ce qui est retenu et libéré dans la célébration.

Racontez-moi une joie qui s'est présentée inopinément dans votre vie, un moment que vous attendiez sans même le savoir, qui vous a pris par surprise et vous a fait sourire. En quittant l'université un après-midi, stimulée par les idées proposées par mes lectures et qui avaient nourri mon écriture, une pensée me traversa l'esprit: «C'est pour ça que j'ai été créée.» Je me suis arrêtée dans la rue, stupéfaite par la joie que cela me procurait. Les passants me regardaient, debout toute seule sur le trottoir, souriant à pleines dents.

Trouver notre place à l'intérieur de nous-mêmes et dans le monde, trouver ce pourquoi nous avons été créés et le reconnaître, c'est ça la joie. J'ai été créée pour danser autour de la table de la salle à manger dans les bras d'un homme qui m'aime tandis que les aliments refroidissent. J'appartiens aux étoiles dans le ciel de la nuit et sur la surface du lac, au silence de la nature dans l'obscurité. J'ai été créée pour chevaucher le dragon. J'appartiens aux idées auxquelles je tiens. J'ai été créée pour étudier et apprendre, pour enseigner et écrire. J'appartiens à tout cela et plus encore – c'est cela ma joie. Elle est infinie.

MÉDITATION SUR L'APPARTENANCE

Asseyez-vous confortablement, un crayon et du papier à portée de la main. Concentrez votre attention sur votre respiration. Suivez le rythme de vos inspirations et de vos expirations durant quelques minutes en prenant conscience des mouvements de votre poitrine, qui se soulève et qui s'abaisse avec chaque respiration. Laissez votre poids descendre dans la partie inférieure de votre corps. Sentez le sol sous vos pieds et la terre qui vous porte. Passez quelques minutes à vous concentrer sur votre respiration. Si votre esprit s'égare, ramenez-le doucement vers votre respiration.

Puis, dans le silence, formulez mentalement la phrase: «Je me sens à ma place...» et complétez-la. Écrivez-la si vous voulez. Il se peut qu'une image accompagne la phrase complétée. Concentrez-vous sur cette image et sur les émotions qu'elle suscite en vous. Que ressentez-vous devant ce sentiment d'appartenance? Que voyez-vous? Que goûtez-vous? Si rien ne vous vient à l'esprit, concentrez-vous sur les sentiments que cela vous inspire.

Au moment qui vous convient, ramenez votre attention sur votre respiration, et suivez les inspirations et les expirations pendant quelques minutes. Puis, formulez mentalement la phrase: «J'ai été créé pour...» et complétez-la. Écrivez-la si vous voulez. Concentrez-vous pendant quelque temps sur les images et les sentiments que cette phrase suscite en vous.

Répétez le processus, en passant d'une phrase à l'autre, pendant 5 à 10 minutes. Puis, asseyez-vous et lisez la liste que vous avez dressée. Que remarquez-vous? Éprouvez-vous des surprises? Y a-t-il des lieux ou des personnes près desquels vous vous sentez à votre place ou pour lesquels vous avez été créé qui paraissent contradictoires? Ressentez-vous de la joie à découvrir quelle est votre place? Ressentez-vous de la peur, ou de la tristesse, parce que vous ne la connaissez pas? Quelle proportion de votre vie passez-vous à vous sentir à votre place, à vivre les choses pour lesquelles vous avez été créé? Êtes-vous prêt à recevoir une plus grande part de ce qui vous procure de la joie? Regardez en vous-même et examinez vos sentiments en toute objectivité.

La trahison

Je ne veux pas savoir si l'histoire que vous me racontez est vraie.
Je veux savoir si vous seriez capable
de décevoir une personne
pour rester fidèle à vous-même;
de faire face à des accusations de trahison
sans vous trahir vous-même;
d'être déloyal,
mais digne de confiance.

NOUS SOMMES SOUVENT À LA RECHERCHE d'une personne à qui nous pourrions faire confiance plus qu'à soi-même. C'est peut-être parce que nous savons à quel point l'on se trahit soi-même. Il y a plusieurs années, une amie m'a calomniée auprès d'un de nos professeurs. J'ai alors appris comment reconnaître une personne indigne de confiance. Cette amie était une femme douce et gentille, mais elle se trahissait souvent elle-même: elle négligeait ses propres sentiments pour se plier aux souhaits des autres, elle avait passé sa vie à mépriser sa créativité pour s'occuper d'une série d'hommes alcooliques. C'est son inaptitude à être fidèle à elle-même qui la rendait indigne de confiance, incapable de dire la vérité si cela entraînait la désapprobation d'un symbole d'autorité.

J'ai soudain réalisé que, dans ma vie, les personnes qui étaient les plus dignes de confiance, celles qui étaient capables de dire la vérité, même quand la vérité est difficile à accepter, n'étaient pas celles qui respectaient toujours leurs conventions avec moi. Les personnes capables d'être déloyales – qui peuvent prendre la responsabilité de rompre une entente avec une autre pour éviter de se trahir elles-mêmes – sont dignes de confiance.

Quand on a commencé partout dans le monde à copier et à partager la version originale de *L'invitation*, la modification la plus fréquente qui y était apportée consistait à substituer le mot *loyal* au mot *déloyal*. J'ai reçu des appels téléphoniques et des lettres de gens qui me demandaient, parfois avec insistance, d'expliquer mon utilisation du mot *déloyal*. Les gens ne l'aimaient pas. Il les rendait mal à l'aise.

Ce n'est pas très agréable d'être perçu comme n'ayant pas respecté des promesses anciennes. Pourtant, si nous vivons pleinement, il est inévitable que cela nous arrive parfois, parce que le changement est inévitable et que les engagements, pour demeurer essentiels, doivent être renouvelés. Souvent, pour nous protéger, nous ignorons les promesses rompues en prétendant que rien n'a changé. Mon deuxième mari et moi avons prétendu ne pas remarquer qu'il ne lui était pas arrivé depuis plusieurs années de mettre sa main dans le bas de mon dos tandis que je m'affairais devant le comptoir de la cuisine, pour que nous soyons plus près l'un de l'autre, que nous respirions du même souffle pendant un petit moment. Nous n'avons pas pris la peine de nous étonner que j'aie cessé de caresser doucement son visage en le regardant dans les yeux après avoir fait l'amour. Nous n'avons pas reconnu que les promesses de partager ce qui était important, de protéger nos solitudes respectives, d'être tendres l'un envers l'autre avaient été rompues un millier de fois.

Inconsciemment, nous répétons ces marchés silencieux à tous les niveaux: dans nos familles, nos communautés spirituelles, nos organisations commerciales. Les dévots préfèrent oublier la nature humaine de leur gourou, prétendre ne pas voir que leur confiance a été abusée, que leurs idéaux ont été abandonnés. Les membres d'une congrégation ne parlent pas du moment dans leur vie où ils ont perdu la foi, mais ils continuent de participer aux cérémonies et ne ressentent pas ce qu'ils professent. Pendant des années, j'ai travaillé dans une agence de services sociaux où l'engagement envers la santé des femmes était trahi quotidiennement par une convention tacite voulant qu'une bonne employée était disposée à sacrifier sa propre santé pour bien faire son travail.

Nous nous trahissons nous-mêmes quand nous refusons le changement qui nous terrifie, quand nous entretenons l'illusion extérieure que tout demeure inchangé. Si quelqu'un évoque la trahison, tout commence à s'éclaircir. Quand notre négation de ce qui est arrivé est tellement profonde qu'elle semble complète, le choc de la révélation est écrasant. Nous nous sentons blessés, atterrés, anéantis.

Quand j'ai dit à mon premier mari que je le quittais, il ne m'a pas crue. On ne pouvait pas vraiment l'en blâmer. Ni lui ni moi n'avions reconnu que sa violence était une trahison de notre mariage. Nous voulions croire que les choses pouvaient rester les mêmes et nous avions silencieusement convenu de prétendre que rien n'avait changé. Il m'a regardée et m'a dit très sincèrement: «Tu ne peux pas partir. Nous sommes mariés. Tu es ma femme.»

Et j'ai répondu: «Regarde-moi faire.»

Ce fut très dur de partir, de rompre ma promesse, de trahir sa confiance que, quoi qu'il arrive, je ne partirais pas. Quelque chose en moi s'est abîmé quand j'ai rompu notre foi en l'engagement inconditionnel. Rationnellement, je peux plaider comme n'importe qui d'autre que sa violence a annulé notre entente et je n'inciterais jamais un homme ou une femme à rester dans une situation où son corps ou son âme sont en danger. Je n'ai jamais regretté d'être partie. Cela ne change rien au fait que nous sommes toujours profondément affectés par la rupture d'un accord, que nous souffrons autant que l'autre.

Quand nous reconnaissons la trahison et que nous prenons la responsabilité de nos décisions de rompre des accords, de prendre conscience que quelqu'un n'a pas respecté une entente que nous avions prise, nous souffrons devant l'éventualité de la perte de l'innocence. Pour retrouver confiance, nous devons être disposés à faire face à l'ombre de l'innocence – la naïveté délibérée qui s'accroche au refus et rejette la vérité parce qu'elle est trop dure.

Il m'a fallu des années avant de vivre consciemment en reconnaissant la vérité à propos de mon mariage: que j'ai rompu la promesse faite à mon mari même si j'ai pu être justifiée de le faire aux yeux des autres; que la violence que j'ai subie dans ce mariage m'a rendue méfiante, m'a fait douter de mes capacités de juger à quel moment je peux faire confiance ou à quel moment je cours un risque réel et dois partir. Je dois être prête à vivre avec toute cette connaissance personnelle si je veux être capable d'aimer pleinement de nouveau. La trahison peut paraître plus facile à supporter dans l'immédiat quand nous prétendons que nous ne sommes pas trahis ou que nous ne trahissons pas l'autre, mais c'est le fait d'apprendre à vivre avec la vérité qui ouvre la porte de la sagesse nécessaire pour faire confiance et être de nouveau digne de confiance.

Il y a quelques années, une femme est venue me consulter parce que son mari avait entrepris une relation avec une autre femme durant leur mariage et l'avait finalement quittée. J'ai entendu, derrière sa rage compréhensible, l'histoire d'un homme incapable de faire face à son propre besoin de modifier des accords passés. Quand il l'a finalement quittée, il lui a dit que, durant les deux années qui avaient précédé la rupture, chaque soir en rentrant du travail il avait roulé dans le quartier pendant 10 ou 15 minutes avant de réussir à stationner dans leur entrée. Pendant la même période, à la grande surprise de sa femme, il avait insisté pour préparer lui-même le repas quand il arrivait à la maison. Ce n'est que quand il l'a quittée qu'il lui a avoué que c'était parce qu'il était littéralement incapable d'avaler la nourriture qu'elle préparait.

Si nous sommes incapables d'accepter notre besoin de renouveler les accords que nous avons conclus, nous rompons la seule promesse que nous devrions réellement tenir l'un envers l'autre: celle d'être honnêtes. Nous devons donc trouver à la fois le courage d'être honnêtes envers nous-mêmes et une façon de vivre en étant conscients de l'effet de nos actions sur les autres, même quand personne n'est animé de mauvaises intentions et qu'il n'y a personne à blâmer.

Assise dans la salle de séjour, je tends la main vers Roger, qui s'efforce de me dire ce qu'il pense devoir faire. Sa femme, Catherine, est une de mes meilleures amies. Il y a 5 ans, alors que Catherine était âgée de 40 ans, un anévrisme a éclaté dans son cerveau et depuis elle est handicapée mentalement et physiquement. Elle marche lentement avec une canne. Quelqu'un doit s'occuper d'elle jour et nuit. Elle ne peut pas conduire, ni faire les courses, ni faire la cuisine, ni se laver toute seule. Elle oublie encore où elle est et ce qui lui est arrivé. À plusieurs points de vue, elle n'est plus, et ne sera jamais plus, la femme de Roger, bien qu'elle l'appelle son bien-aimé et qu'elle n'a clairement pas oublié leur amour.

Roger est resté près de Catherine à toutes les étapes, et ce n'est que récemment qu'il l'a placée dans un foyer de groupe, ce qui l'a libéré de la lourde responsabilité de superviser les innombrables intervenants qui se succédaient auprès d'elle tous les jours. Les voir ensemble m'émeut et me brise le cœur tout à la fois. Avec une patience et une tendresse infinies, Roger a fait face à la tragédie qui a frappé leurs deux vies, il a pris soin de Catherine, il s'est occupé de toutes les questions médicales et logistiques et il a continué de gagner sa vie, tout en pleurant la femme et la partenaire qu'il a connue et en renonçant à leur rêve d'avoir des enfants et un foyer.

Et tout cela a fini par laisser des traces. Depuis quelque temps, chaque fois que je le vois, Roger semble plus fatigué et usé, poussé vers une sorte de point de rupture. Je me demande pendant combien de temps il pourra continuer à vivre de cette façon. Dans un sens, je ne suis pas surprise qu'il se tienne devant moi, à peine capable de parler, et qu'il me dise: «Je dois demander le divorce à Catherine.»

Je suis de tout cœur avec lui et je souffre pour Catherine. Ce mariage, même s'il n'est plus l'association qu'il était, est le dernier vestige de la vie qui lui a été enlevée. Leur amour l'un pour l'autre n'est jamais mort et Roger n'a jamais négligé Catherine, même quand il a rencontré une autre femme et qu'il s'est épris d'elle – une femme merveilleuse, qui est déchirée entre son amour pour Roger, son respect de ses engagements envers Catherine, ses propres besoins et son désir de fonder avec lui un foyer et une famille. Elle n'a pas demandé à Roger de divorcer. Elle ne lui demande pas de cesser d'aimer Catherine ou de s'assurer qu'elle reçoit de bons soins, et pourtant elle souhaite, comme Roger, se marier et consacrer leur engagement profond l'un envers l'autre.

Cette histoire n'a pas sa place dans notre culture. Il n'est pas facile d'accepter qu'un homme qui aime sa femme handicapée et s'en occupe aime une autre femme avec laquelle il veut vivre l'engagement profond de la relation maritale. Il est inutile d'argumenter que cette histoire devrait être légitime, qu'elle aurait pu l'être à une autre époque et dans une autre culture. Les personnes intéressées, leurs amis et leurs familles font partie de notre culture, vivent ici et maintenant. Le plus important, c'est que Roger lui-même ne peut admettre cette histoire, que le fait d'essayer de la vivre le déchire. Cela pourrait bien le plonger dans une dépression dont il ne se remettra jamais.

Nous pleurons ensemble. Ce n'est la faute de personne. Roger s'exprime avec une voix brisée par l'émotion: «Je n'arrête pas de penser...» Il s'arrête pour avaler et s'efforce péniblement de continuer: «... à ce que les gens disent...» Sa voix s'élève dans un élan de douleur: «... comment ils disent que les hommes ne sont pas fidèles.»

Il n'y a pas de solution facile. Pour survivre, pour vivre, Roger doit rompre la promesse qu'il a faite à Catherine il y a plusieurs années, et, pour pouvoir aimer et croire de nouveau, il doit trouver un moyen de le faire en harmonie avec lui-même. Cela signifie qu'il doit trouver une place dans son cœur pour tous les hommes et les femmes qui quittent leur emploi, leur communauté, leur couvent, leur professeur, leur organisation, leur conjoint pour sauver leur vie – pour tous ceux que la majorité des gens considèrent déloyaux.

Nous avons tous trahi et été trahis. Si nous n'arrivons pas à reconnaître cela, nous risquons de devenir durs et impitoyables, incapables de regretter les moments où nous nous sommes trahis nous-mêmes. Un homme seulement a porté un jugement sur le choix de Roger. C'était un membre de la famille de Catherine. Très en colère, il a dit à Roger: «Il faut jouer avec les cartes qu'on a dans les mains.» Je me demande quelles ententes cet homme s'est refusé de rompre, quel prix a été trop lourd à payer, à quel moment il a trahi son âme pour tenter d'empêcher les choses de changer, pour éviter d'avoir le désagrément d'être considéré comme un homme déloyal.

Quand un accord important pour nous est rompu, nous ressentons de la douleur et de la colère. Et si un accord a été rompu, mais que nous ou d'autres personnes prétendons qu'il ne l'a pas été, nous apprenons à nous méfier de nous-mêmes ou des autres quand la vérité est révélée. Le vrai danger de la trahison réside dans les mensonges que nous disons aux autres et à nous-mêmes, les mensonges qui nous font perdre la foi en notre capacité de reconnaître la vérité et d'agir en conséquence.

Être digne de confiance, c'est en partie être capable de déterminer quand nos perceptions et nos jugements sont douteux et de cultiver un entourage susceptible de nous soutenir et de nous guider dans ces moments-là. Il y a quelques années, alors que j'étais profondément et aveuglément amoureuse, l'homme avec qui j'étais m'a demandé de lui donner ma carte de crédit. J'étais sous le charme, hypnotisée par ses arguments, convaincue qu'il en avait besoin. Sur le chemin de la banque, je me suis arrêtée pendant un moment et j'ai appelé mon amie Ingrid. Je lui ai dit ce que j'étais sur le point de faire et lui ai demandé: «Qu'est-ce que tu en penses? Crois-tu que c'est une bonne idée?»

Ingrid a réfléchi quelques instants, puis elle m'a répondu très lentement. «Eh bien, je ne sais pas. Tu ne sembles pas être toi-même, alors ne le fais pas tout de suite. Attends. Tu verras comment tu te sentiras demain. Il sera toujours temps d'y aller. Tu n'as vraiment pas l'air d'être toi-même.»

Quelle femme sage que mon amie Ingrid. Si elle m'avait dit: «Es-tu devenue folle? Cet homme est probablement en train de te tromper. Envoie-le promener!», je me serais sans doute mise sur la défensive et je l'aurais fait de toute façon. Elle s'en est tenue à ce qu'elle savait: je ne semblais pas moi-même, de sorte que ce n'était pas le bon moment pour prendre ce type de décision. Je me connaissais suffisamment pour savoir que je devais me méfier de moi-même dans le type de relation que j'avais avec cet homme. Alors, suivant le conseil d'Ingrid, j'ai attendu. Le lendemain, comme j'étais redevenue un peu plus moi-même, j'ai sagement décidé de ne pas lui donner ma carte de crédit.

Être dignes de confiance, ne pas nous trahir nous-mêmes consiste en partie à reconnaître les moments ou les situations où nous sommes susceptibles de ne pas être fiables et à demander conseil aux personnes qui nous aiment et sont disposées à être honnêtes avec nous. Cela peut parfois signifier que nous entendrons des choses que nous ne voulons pas entendre. Cela signifie presque toujours que nous devons ralentir et admettre la possibilité que nous ayons tort, que nous ne soyons peut-être pas fiables dans le moment en question.

Refuser de nous trahir ne nous autorise pas à rompre des engagements par pur caprice, à ignorer les répercussions de nos actions sur les autres. Ce qui est difficile et demande de la sagesse, c'est de déterminer où et quand nous devons rompre une promesse pour être fidèles à nous-mêmes. Nous devons soupeser ce qu'il en coûte à notre âme de respecter notre engagement – ce qu'il en coûte à l'essence de notre être – par comparaison à ce que les autres devront payer si l'accord est rompu. C'est particulièrement vrai quand les personnes avec qui nous avons conclu des ententes dépendent de nous. Je ne peux pas dire que les parents ne devraient jamais quitter leur enfant, mais seules des situations de vie ou de mort spirituelle ou physique pourraient justifier le non-respect de notre responsabilité envers ceux que nous mettons au monde, durant leur jeunesse. Comme dans le cas de Roger, ce sont là des choix impossibles auxquels nous pouvons être confrontés. Je ne puis juger du combat d'une autre personne par les seuls choix qu'elle fait.

Parfois, nous pouvons décider de faire un sacrifice pour une autre personne. Tous les parents font de petits sacrifices quotidiens. Les décisions qui nous coûtent quelque chose d'important, mais qui sont faites par amour, peuvent être le choix de l'âme.

Ma meilleure amie, Linda, et moi avons été présentes l'une pour l'autre pendant 19 ans. Elle était là à la naissance de mes fils; je suis demeurée près d'elle à la mort de sa mère. Elle m'avait promis de ne jamais quitter la ville où je dois rester parce que mes fils ont besoin de leur mère et de leur père. Quand nous avons appris qu'elle avait le cancer, je lui ai dit de partir, d'aller s'installer à la mer ou à la montagne, vers les lieux qui l'attiraient, qui seraient bénéfiques à son corps et à son âme. Je lui ai demandé de rompre sa promesse de rester. Je lui ai demandé de courir vers la vie, même si cela l'éloignait de moi.

Ce sont là les choix que nous faisons, consciemment ou inconsciemment, et pourtant, en fin de compte, si nous pouvons accepter sereinement ce qui est, nous pouvons trouver ce lieu que les Amérindiens appellent *Chui-ta-ka-ma*, le lieu de la conscience de l'absence de choix, le lieu où la certitude du choix à faire pour la vie est absolue, où il n'existe pas d'autres choix possibles. Parfois, pour choisir la vie, nous devons rompre des engagements; parfois, nous devons les respecter même si c'est difficile.

Dites-moi, pouvez-vous faire cela? Pouvez-vous faire un choix pour la vie même si ce choix est difficile à faire et que les autres vous jugeront déloyal? Pouvez-vous faire ce choix en conservant dans votre cœur une place pour vous-même ou l'autre personne, peu importe qui trahit ou est trahi au moment en question? C'est cela que je veux savoir. C'est cela que je veux que nous apprenions ensemble. Je veux que nous apprenions à nous soutenir les uns les autres quand les choix sont difficiles à faire.

MÉDITATION SUR LE DISCERNEMENT

Asseyez-vous ou étendez-vous confortablement, et concentrez votre attention sur votre respiration. Suivez le mouvement de vos inspirations et de vos expirations dans votre corps. À chaque expiration, détendez-vous. À chaque expiration, laissez se dissoudre dans votre corps les lieux où vous vous cramponnez. Si des pensées vous viennent à l'esprit, laissez-les s'échapper comme des perles sur la soie et ramenez votre attention à votre respiration. Faites cela pendant quelques minutes, apaisez votre esprit, détendez votre corps.

Maintenant, imaginez que vous vous trouvez seul au centre d'un cercle – ce peut être un cercle de lumière ou de feu. Le cercle peut être entouré d'une clôture de bois ou de pierre, d'un petit cours d'eau ou d'un bosquet d'arbres. Imaginez que vous êtes debout, seul, entouré de ce qui marque les limites de votre cercle personnel. Quelque part dans le cercle se trouve une ouverture, une porte par laquelle d'autres personnes peuvent entrer dans votre cercle et en sortir, et près de cette ouverture il y a un gardien. Regardez la silhouette qui se tient à la porte de votre cercle – ce peut être une personne ou un animal. Laissez votre imagination vous montrer votre gardien.

Maintenant, imaginez que des personnes que vous connaissez s'approchent de l'ouverture de votre cercle. À mesure qu'elles approchent, une à la fois, le gardien de la porte vous fait savoir si elles devraient entrer dans votre cercle. Le gardien peut l'indiquer par un geste, un mot ou une sensation corporelle que vous éprouvez. Attendez son signe. Le gardien peut vous indiquer que certaines personnes peuvent entrer et sortir à leur guise, tandis que d'autres peuvent entrer seulement à certains moments et pour des périodes de temps limitées. Prenez le temps d'apprendre ce que le gardien veut vous montrer à propos de personnes ou de situations dans votre vie. Les situations peuvent être illustrées par des figures symboliques, par exemple un collègue qui s'approche, non pas en tant qu'individu mais en tant que représentation d'une situation spécifique concernant votre travail. Regardez simplement ce qui se passe le plus objectivement possible, en commençant par les personnes ou les situations non controversées (bien qu'il soit possible que vous ayez des surprises) et en progressant vers celles qui présentent le plus d'ambiguïté.

Laissez couler votre imagination. Vous pourrez examiner et analyser plus tard les images que vous recevez. Quand vous sentirez que vous avez absorbé toutes les images que vous pouviez, remerciez le gardien et ramenez votre attention sur votre respiration et votre corps. Remuez les doigts et les orteils et concentrez-vous sur le moment présent.

La beauté

Je veux savoir si vous êtes capable de saisir la beauté du quotidien,
même quand tout n'est pas joli,
et si vous pouvez nourrir votre vie
de sa présence.

MICHEL APPORTE DES FLEURS À SARA, un magnifique bouquet coloré: des glaïeuls violets et écarlates, des oiseaux de paradis exotiques, des lis tigrés orangés, avec quelques branches d'eucalyptus au parfum délicieux. Michel apporte des fleurs tous les vendredis en venant partager le repas du shabbat. Sara l'accueille à la porte et reçoit les fleurs les bras tendus avec des exclamations de ravissement. La petite femme aux cheveux sombres plonge son visage dans le bouquet, se délecte du parfum, des formes et des couleurs de toutes les fleurs. Elle remercie Michel encore et encore, lui dit à quel point il est merveilleux, gentil, attentionné, et à quel point elle se sent choyée et appréciée.

Michel ne peut s'empêcher de sourire tandis que Sara l'embrasse sur la joue. «Tu t'es changé!», lui dit-elle avec un plaisir authentique en caressant le devant de sa chemise fraîchement pressée. Il rougit jusqu'à la racine de ses cheveux bouclés encore humides.

«Bien sûr!», dit-il lentement. «Je veux être...», il hésite, embarrassé, «... beau pour toi.»

Elle se met sur la pointe des pieds pour l'embrasser sur la bouche. «C'est réussi. Tu es très beau.»

Michel s'approche de la table à laquelle je suis assise. Cet homme de 39 ans a soudain l'air d'un adolescent. Il est radieux et je pourrais jurer qu'il a réellement grandi dans les dernières minutes. La fatigue qui pèse sur ses épaules à la fin d'une journée passée à faire un travail qu'il n'aime pas a complètement disparu. Ses yeux sont brillants de confiance et je sais, en le voyant suivre les mouvements de Sara qui s'affaire à préparer le repas, qu'il n'est rien à ce moment qu'il ne ferait pas pour faire plaisir à cette femme.

Sara reconnaît la beauté que cet homme lui apporte et elle est disposée à la recevoir, à se laisser renouveler et rasséréner par elle. Par le fait même, la beauté est multipliée. Michel, qui se sent pleinement accueilli, ressent une part de sa propre beauté et a encore plus à donner.

Tout cela semble très simple, et ça l'est, mais ce qui est simple n'est pas toujours facile. Parfois, la beauté du paysage de notre quotidien nous est tellement familière que nous ne la voyons pas, que nous oublions de l'absorber réellement, que nous négligeons d'exprimer notre reconnaissance et de laisser la beauté nous nourrir.

Les Navahos ont une prière:

Puissé-je marcher avec la Beauté devant moi.
Puissé-je marcher avec la Beauté derrière moi.
Puissé-je marcher avec la Beauté au-dessus de moi.
Puissé-je marcher avec la Beauté au-dessous de moi.
Puissé-je marcher avec la Beauté tout autour de moi.
Tandis que je suis le chemin de la Beauté.

Quelle est cette Beauté que les Navahos recherchent? C'est ce qui nous entraîne vers la vie. C'est ce qui nous interpelle quand nous sommes désespérés, ce qui nous amène à nous ouvrir encore et encore à la possibilité du rire et de l'amour. C'est la manifestation physique du Mystère – Dieu, l'Esprit, le divin – ce qui nous entoure et nous sollicite tous les jours. C'est la vie qui choisit la vie. La prière des Navahos exprime le désir de notre âme de reconnaître et de recevoir la beauté, avec la certitude qu'en le faisant nous devenons des cocréateurs de cette beauté, de ce qui nous incite à vivre.

Plusieurs chemins spirituels, aussi bien traditionnels que contemporains, proposent une hiérarchie de la beauté. S'ils reconnaissent le sacré dans ses manifestations physiques, ils confinent cette reconnaissance au monde naturel non humain et la relèguent à un statut inférieur à celui de la beauté «plus pure» de l'esprit humain. Souvent, exister sous une forme physique est considéré comme une épreuve, un fardeau à supporter, un temps pour apprendre des leçons vitales pour le moment où nous pourrons fuir les limites de nos corps et accéder à une future vie «supérieure» non physique.

Je ne sais pas ce qui arrive quand nous mourons, mais je sais ce qui arrive quand nous vivons avec cette séparation de l'esprit et de la matière. La beauté devient simplement une enveloppe physique, et ceux qui détiennent le pouvoir définissent ce qui est agréable en se fondant sur le profit et les préférences subjectives. Il est facile de devenir cynique quand on considère la façon dont le marché utilise notre désir de beauté pour nous vendre une version étroite de ce qui ne peut ni se vendre ni s'acheter. Nous en connaissons les coûts: les troubles de la nutrition, la haine de soi, la recherche infinie de la perfection physique. Il est tentant de nous protéger contre cette manipulation en dévaluant les considérations physiques au profit de l'émotion, de l'intelligence, de la spiritualité. Mais cela perpétue la rupture qui nous est si familière. À cause de cette séparation de l'esprit et de la matière, notre spiritualité manque de la vitalité et du feu de la matière, et les expressions de notre créativité et de notre sexualité sont détachées des profondeurs de nos cœurs et du sens de nos âmes.

La présence physique est un cadeau. Elle nous permet littéralement de nous toucher les uns les autres. Je ne m'intéresse pas aux théories et aux pratiques destinées à nous faire sortir de notre enveloppe. Je ne veux pas me concentrer sur les préparatifs pour aller au ciel ou évoluer vers l'informe. Je veux apprendre à être pleinement ici, dans ce corps, dans ce monde. Et je veux vivre dans un monde inspiré par le pouvoir de l'érotisme – la sensation physique, inséparable du cœur et de l'âme, qui nous incite à vivre. Quand nous vivons d'une manière érotique, le sens intégré dans nos cellules mêmes est libéré tandis que nous touchons et sommes touchés. C'est cela la beauté.

Voir la beauté ne consiste pas à restreindre notre vision de manière à juger valables seulement quelques-unes de ses manifestations. Cela signifie que nous devons étendre notre définition de la beauté, suspendre nos jugements et apprécier autant la joie tranquille de faire une promenade à bicyclette au bord du lac que l'excitation de conduire à vive allure une voiture sport rouge cerise sur l'autoroute. Cela signifie aussi accepter d'être une femme d'âge moyen, comme le révèlent les rides et les muscles affaissés de mon visage et de mon ventre, ainsi que l'éclat de mes yeux.

Voir la beauté consiste à élargir notre aptitude à reconnaître le lien entre toutes les manifestations de la vie et à nous émerveiller de la façon dont les odeurs, les sons, les goûts et les images qui nous entourent concourent pour nous amener à vivre pleinement. Je veux toucher au pouvoir de l'eau qui donne la vie, et reconnaître l'odeur de la mer qui caresse la côte dans la senteur de ma sueur, dans le sel de mes larmes, dans l'humidité glissante qui coule entre mes cuisses douces quand on sait m'aimer. Je veux me concentrer sur le bout de mes doigts, sur la forme et le poids de ma main, sur le sang et les os et une douzaine de terminaisons nerveuses, tandis que je porte une pomme à ma bouche, que le bout de ma langue glisse sur la fraîche surface ronde, douce et ferme, et que je sens le jus gicler sur mes dents, qui percent la pelure et pénètrent dans la chair croquante. Je veux goûter les semaines de soleil et de pluie, le mûrissement dans l'arbre, le labeur du fermier et du cueilleur, le voyage des hommes et des femmes qui transportent les fruits du verger à la table. Je veux recevoir la beauté qui me rappelle qu'il n'y a pas de séparation, que chaque acte que je fais dans mes heures de veille ne peut qu'être à la fois prière et amour.

Nous trouvons la beauté et celle-ci nous nourrit dans les lieux où la vérité, qu'elle soit belle ou triste, se révèle sous une forme physique. Parfois, nous avons besoin d'aide et de soutien pour parvenir à la vérité. Il y a quelques années, alors que j'animais un atelier de peinture, j'ai incité une femme à peindre ce qu'elle ressentait en relation avec la mort récente de sa mère. Je savais qu'elle ne voulait pas le faire et qu'elle m'en voulait d'insister pour qu'elle le fasse. Je savais également qu'elle serait incapable de peindre autre chose, qu'elle ne pouvait pas contourner la vérité. La toile qu'elle a finalement peinte était déchirante de beauté dans la vérité absolue qu'elle exprimait: une silhouette terrifiée et obsédante qui s'agrippait d'une main osseuse à un sac à main, un objet dérisoire qui ne pouvait plus avoir aucune utilité pour elle. Nous ne pouvions pas dire que nous «aimions» la toile, mais aucune d'entre nous ne pouvait détacher les yeux de la beauté qu'elle contenait. C'était tout simplement la vérité.

Le désir de notre âme appelle la vérité. Et même quand la vérité est difficile, quand la beauté qu'elle révèle n'est pas jolie, notre soif profonde de vérité est rassasiée et nous en éprouvons un profond soulagement. Toute personne qui découvre les mensonges d'une personne qu'elle aime sait que la douleur de la trahison s'accompagne toujours du soulagement qui consiste à reconnaître une chose qu'elle savait mais qu'elle niait depuis de nombreuses années.

Découvrir et reconnaître la vérité ne sont pas toujours faciles. Parfois, souvent, nous ne savons pas ce qui est vrai. De toutes les phrases utilisées dans le mouvement Nouvel Âge, je crois que celle que j'aime le moins est: «Ceci est ma vérité.» J'ai si souvent entendu prononcer cette phrase pour justifier la suffisance notoire, l'illusion et le mépris des autres que je sourcille quand je l'entends. Je comprends ce que les gens essaient de dire quand ils l'utilisent. Ils veulent rappeler que, dans notre niveau de conscience ordinaire, nous n'avons pas accès à la vérité absolue, que nous ne sommes pas les détenteurs exclusifs de la connaissance et de la sagesse. Ils tentent de trouver leur propre pouvoir intérieur, d'éviter de soumettre leur vie à un pouvoir extérieur – l'Église ou l'État, la famille ou le travail – qui prétend savoir ce qui est le mieux pour eux.

Dans un effort légitime pour prendre le contrôle de nos vies, nous oublions qu'il y a une réalité au-delà de notre perception limitée – sinon objective, du moins intersubjective. Si je me lève demain matin et que je vois deux soleils briller dans le ciel, la première chose que je ferai sera de demander à d'autres personnes ce qu'elles voient. Si celles-ci ne voient pas deux soleils, je me rendrai probablement chez l'oculiste en présumant que j'ai quelque chose aux yeux. Je ne m'entêterai pas à affirmer que «ma vérité» implique qu'il y a réellement deux soleils dans le ciel.

Il peut nous arriver d'avoir tort. Sachant cela, nous pouvons créer une communauté qui nous permette de déterminer si nos perceptions relèvent d'une vérité intersubjective. Bien sûr, en fin de compte, il nous faut décider à quelles perceptions nous pouvons nous fier. Si je prétends que «ma vérité» et «votre vérité» n'ont aucun point commun, si je ne ressens pas le besoin de considérer d'autres perspectives, si je suis incapable d'imaginer qu'il est possible que je me trompe sur ce que je pense, ce que je vois ou ce que je ressens à un moment précis, je me prête à une forme de narcissisme destructeur.

Ce danger ne prévaut nulle part autant que dans les communautés intellectuelles et spirituelles centrées sur la croissance personnelle. Je suis souvent découragée de voir des femmes et des hommes intelligents cesser de se servir de leur tête et accepter des conclusions dénuées de fondement sans preuves ni explications. Certaines vérités ne peuvent pas être prouvées par des données empiriques sensorielles, mais nous risquons de nous éloigner de toute vérité si nous ne nous posons pas à tout le moins certaines questions honnêtes: Est-ce que d'autres personnes ont vu l'éclair dans le ciel que vous avez pris pour un OVNI? Pourquoi croyez-vous que la voix que vous avez entendue durant votre méditation était celle d'un guide spirituel sage extérieur à vous-même? Y a-t-il d'autres explications possibles?

Il est facile de se leurrer au point de croire les histoires les plus extraordinaires. Je demande aux personnes qui prétendent avoir la certitude que leurs convictions sont vraies *comment* elles peuvent en être aussi sûres. J'ai fait des rêves qui contenaient des détails historiquement vérifiables (des noms, des dates, des lieux et des événements), des détails dont je ne puis avoir pris connaissance dans ma vie consciente. Sont-ce là des souvenirs d'une vie antérieure? Peut-être. Mais peut-être s'agit-il de données inscrites de quelque façon dans l'inconscient collectif, ou d'une sorte de dons de l'Esprit. Je ne sais pas. Ce que je sais, c'est que ces rêves me semblent importants. Alors, je cherche à comprendre pourquoi ces histoires, parmi tant d'histoires possibles, viennent à moi, à découvrir ce qu'elles ont à m'apprendre sur la façon de vivre pleinement. Je veux percer leur signification, découvrir leur beauté particulière, la vérité qu'elles contiennent et qui est susceptible de m'aider à vivre maintenant.

J'ai foi en la vérité, en son aptitude à nous trouver. Un des exercices de réchauffement que je propose souvent aux personnes qui participent à mes ateliers consiste à écrire un mensonge, comme s'il était vrai, à propos des raisons pour lesquelles elles font partie du groupe. Chacune se donne beaucoup de mal pour concocter des mensonges élaborés, et nous avons beaucoup de plaisir à partager les histoires. Plus souvent qu'autrement, peu importe à quel point les faits racontés sont étrangers à la vie de la personne, une partie de la vérité sur les motifs de sa présence à l'atelier se fait jour: la femme qui écrit qu'elle vient de Jupiter révèle qu'elle se sent toujours différente des autres dans les groupes, qu'elle a l'impression d'être une extraterrestre; l'homme qui prétend être un agent secret croit qu'il est un imposteur ou un faux jeton, qu'il se sert secrètement des autres pour des fins détournées. Si la vérité semble souvent insaisissable quand nous essayons de la rechercher directement, nous pouvons nous consoler à la pensée qu'elle se révèle aussi impitoyablement dans nos vies, nos rêves et les histoires que nous nous racontons.

C'est la gratitude qui stimule ma capacité de recevoir la beauté. Depuis quelque temps, chaque matin quand j'entre dans la douche, je dis une prière de gratitude pour l'abondance de l'eau chaude qui coule sur mon corps et je demande aux esprits des eaux de purifier mon cœur en lavant mon corps. Je m'émerveille de la chance que j'ai, quand je pense que dans certains pays et à certaines époques seuls quelques privilégiés, les plus riches, les plus puissants, profitent de ce plaisir que la plupart des gens ordinaires tiennent pour acquis dans les pays industrialisés. La gratitude que je ressens m'aide à m'ouvrir à ce petit moment de beauté.

Il y a des milliers de moments comme celui-là chaque jour. Et c'est souvent notre conscience de la vérité dans la vie des autres qui nous permet de reconnaître la beauté qui nous est offerte. Quand je regarde une amie handicapée traverser une pièce avec difficulté à petits pas très lents, je pense à la force dans mes jambes, à ma capacité de me déplacer sans efforts, et j'en éprouve de la reconnaissance. L'histoire, racontée au bulletin de nouvelles, de cette femme dont le fils a été tué à l'occasion d'une fusillade m'inspire de la gratitude pour mes fils, pour leurs rires qui retentissent à l'heure des repas. La vérité de sa tristesse infinie m'incite à faire montre de plus de patience devant les chambres en désordre et les devoirs négligés. Et si je reconnais pleinement la vérité, je suis capable de recevoir la beauté dans la souffrance de mon amie, dans la persévérance et le courage de la mère éplorée, et de m'en nourrir.

C'est ainsi que la mort, le cycle de changement inévitable dans nos vies, devient notre alliée. La perte anticipée de ce que nous tenons pour acquis nous rappelle ce qui est précieux, ce qui importe et n'importe pas, ce que sont le sens et le plaisir d'être matière.

Dites-moi, pouvez-vous voir la beauté? Pouvez-vous la laisser tous les jours renouveler votre engagement envers la vie? Je ne veux pas attendre l'approche de la mort pour recevoir la beauté. Je veux être émerveillée tous les jours par la vérité, qu'elle soit belle ou pénible, et la laisser m'ouvrir à la beauté qui m'entoure et m'attirer de plus en plus profondément dans ma propre vie.

MÉDITATION SUR LA GRATITUDE

Asseyez-vous ou étendez-vous confortablement. Concentrez votre attention sur votre respiration et suivez le mouvement de vos inspirations et de vos expirations dans votre corps. Prenez conscience du mouvement de votre ventre, qui se soulève et s'abaisse. Relâchez vos muscles en expirant. Dirigez votre souffle vers les lieux où vous ressentez de la fatigue ou de la tension dans votre corps, et laissez celles-ci se dissiper avec l'expiration. Laissez vos pensées s'envoler et ramenez doucement votre attention à votre respiration.

Maintenant, prenez conscience de vos aptitudes physiques. Imaginez que votre souffle envahit les parties de votre corps qui vous viennent à l'esprit, une à la fois, et joignez-y votre reconnaissance. Dirigez votre souffle vers vos pieds et vos jambes en manifestant votre gratitude pour leur forme, leurs sensations, leurs capacités, que vous tenez si souvent pour acquises. Dirigez votre souffle vers vos mains et prenez conscience de ce qu'elles font chaque jour. Dirigez votre souffle vers les parties de votre corps qui vous donnent du plaisir, qui vous permettent de toucher une autre personne ou d'être touché, qui vous offrent la possibilité de goûter, de sentir, de voir ou d'entendre ce qui vous procure du plaisir. Manifestez avec votre respiration votre gratitude envers ces endroits, un à la fois. Dirigez votre souffle vers les organes internes qui vous gardent en vie: le cœur, qui bat d'un rythme régulier; les poumons, qui nourrissent votre corps, expulsent les toxines et aspirent l'oxygène indispensable. Pensez à vos organes digestifs, qui nourrissent et raffermissent votre corps sans que vous y pensiez, et témoignez votre gratitude à leur égard.

Dirigez votre souffle vers votre visage, prenez conscience des os, des muscles, de la peau, de sa forme, par laquelle on vous connaît. Appréciez la beauté qui se trouve là; imprégnez-vous des histoires que racontent les rides, la forme, la texture et la couleur de votre visage.

Maintenant, pensez aux parties de votre corps que vous critiquez, les parties qui ne sont pas comme vous souhaiteriez qu'elles soient et celles qui sont malades ou handicapées. Faites-leur une place dans votre cœur pour les remercier d'être une partie de ce que vous êtes.

Reportez maintenant votre attention à votre environnement immédiat. En conservant une partie de votre attention sur votre respiration, aspirez la beauté autour de vous et exprimez en expirant votre gratitude pour cette beauté. Aspirez la couleur, la température, les formes autour de vous – celles qui sont agréables et celles qui le sont moins. Exprimez votre gratitude pour la variété, pour le temps et l'espace dont vous disposez pour faire votre méditation.

Concentrez-vous ensuite sur les personnes dans votre vie passée et présente. Aspirez l'essence de ce qu'elles vous ont offert, de ce qui a été facile et de ce qui a été difficile. Exprimez votre gratitude pour elles.

Quand vous serez prêt, ramenez votre attention à vos inspirations et à vos expirations, bougez vos doigts et vos orteils, et faites une prière de gratitude pour la vie elle-même et le simple fait d'être pleinement présent.

L'échec

Je veux savoir si vous pouvez vivre malgré l'échec,
le mien ou le vôtre,
et tout de même vous tenir sur le rivage du lac
et crier aux reflets argentés de la pleine lune:
«Oui!»

À MON QUARANTIÈME ANNIVERSAIRE, j'ai fait un vœu. Je me suis promis que, durant la seconde moitié de ma vie, je ne ferais que de *vraies* erreurs. Les vraies erreurs sont d'authentiques erreurs de jugement, des choix qui se révèlent n'avoir pas été les meilleurs avec la sagesse du recul. J'ai été moins frustrée par les échecs honnêtes provoqués par l'inexpérience et le manque d'informations que par les erreurs que j'ai faites après être revenue sur des jugements initiaux.

Il y a plusieurs années, j'ai été invitée à présider une conférence internationale avec deux femmes que je ne connaissais pas. J'avais entendu parler de leur travail et j'avais lu un livre que l'une des deux avait écrit. Durant les travaux préparatoires de la conférence, j'éprouvais un malaise et j'en ai fait part aux deux coprésidentes et à l'organisatrice. Nous travaillions toutes de façons très différentes et nous ne parvenions pas à partager une vision commune des objectifs et de la structure de la conférence. Elles ne semblaient pas s'en inquiéter et je me suis demandé si je ne devrais pas tout simplement me retirer, mais j'éprouvais de sérieux doutes. Ces femmes avaient de l'expérience dans l'organisation de conférences. Si quelque chose n'allait pas dans nos préparations, elles étaient certainement en mesure de s'en rendre compte. Je me sentais peut-être nerveuse à l'idée d'être coprésidente; j'avais l'habitude de travailler seule. J'avais peut-être de la difficulté à faire confiance aux autres, ou j'essayais de prendre le contrôle. J'avais peut-être besoin d'apprendre à travailler en équipe, dans une structure plus fluide et moins prévisible que celle à laquelle j'étais habituée. Il était trop tard pour me désister.

Quand les 300 personnes furent rassemblées, notre manque de vision commune devint rapidement manifeste. Les participants s'étaient présentés avec des attentes incompatibles. Sans structure, méthode ou objectif clairement définis, les deux autres présidentes et moi-même fûmes incapables de travailler ensemble pour empêcher les participants les plus loquaces d'imposer à tous les autres leur propre programme.

Mes amies et moi avons baptisé ce week-end la «Conférence infernale». Ce qui est difficile à admettre, c'est que j'avais prévu cet échec et que j'avais douté de moi, que j'étais revenue sur mon intuition. Ce n'était pas que je n'avais pas vu la vérité. Je l'avais vue, mais je n'avais pas eu le courage d'agir en fonction de celle-ci. Bien sûr, mon intuition peut me tromper, mais prendre la mauvaise décision à partir d'une intuition inexacte est une *vraie* erreur, une erreur que je puis accepter plus facilement que l'erreur qui consiste à ne pas agir en fonction de ce que je sais, au meilleur de mes connaissances.

Certaines personnes nient l'échec, prétendent qu'il n'y a pas eu d'erreur. L'incapacité d'admettre l'échec nous prive de la possibilité d'apprendre. Pour apprendre, nous devons être disposés à faire des erreurs, et nous devons être prêts à nous les approprier et à apprendre de celles-ci. C'est difficile pour les personnes qui se battent contre leur perfectionnisme. J'aime apprendre des choses que je sais pouvoir bien faire – de préférence à la perfection – rapidement. Ce refus de l'erreur m'a empêchée dans le passé d'apprendre de nouvelles langues. Il est absolument impossible à l'âge adulte d'apprendre une langue étrangère sans faire des milliers d'erreurs évidentes – et parfois très amusantes – pour les personnes qui la connaissent. C'est comme ça qu'on apprend: on essaie, on se trompe, on se fait corriger et on essaie encore. Nous avons tous des domaines différents dans lesquels nous n'aimons pas être surpris à commettre des erreurs. Pour moi, ce sont les langues étrangères, parce que je tiens à mon sentiment de compétence intellectuelle. C'est tout simplement de l'orgueil: je déteste avoir l'air de dire quelque chose d'idiot. Cependant, comme je ne me suis jamais considérée comme une personne douée d'aptitudes athlétiques, j'aime bien apprendre une discipline physique, même si je vais inévitablement commettre des centaines d'erreurs et paraître gauche durant le processus d'apprentissage.

Quand un guide spirituel hoche la tête sagement et affirme: «Il n'y a pas d'erreurs.», en faisant allusion à un dessein grandiose et à une puissance supérieure qui est en quelque sorte responsable de ce qui arrive, il est tentant de l'approuver. À certains moments, l'erreur résulte d'une suite d'événements qui conduisent à un résultat merveilleux nettement supérieur à ce qu'on aurait pu raisonnablement attendre du simple hasard. Certains scientifiques affirment que le processus évolutif de la Création lui-même, à partir de mutations (erreurs) génétiques fortuites favorisant la survie, défie les lois de la moyenne et ne peut pas s'être produit par pur hasard.

J'ai vécu une vie pleine de cette sensation de magie évolutive et me suis souvent sentie guidée par quelque chose de plus grand que moi-même, parfois grâce à mes erreurs, souvent malgré elles. Quand j'ai fait l'erreur d'accepter de passer un dernier week-end avec un homme que je n'avais pas l'intention de revoir, j'ai fait la connaissance d'une de ses amies, une femme merveilleuse qui dirige une maison de retraite; c'est là que j'ai commencé à animer mes ateliers, et l'endroit est devenu pour moi un refuge où j'ai pu me recueillir pour écrire pendant des années. Cela n'a rien changé au fait que ce fut une erreur de choisir de passer le week-end avec cet homme, une erreur qui a été très douloureuse pour lui et qui a eu pour conséquence de nous faire perdre la possibilité de développer un lien d'amitié. Je me suis néanmoins sentie guidée par l'interconnexion de la vie vers ce qui est devenu une relation et un lieu importants dans ma vie. Plusieurs autres décisions que j'ai prises n'ont pas entraîné la venue d'événements clairement heureux. Et il est certain que le divin, s'il travaille avec un dessein défini, ne dépend pas de nos choix mais compose avec ceux-ci, qu'ils soient bons ou mauvais.

Soutenir qu'il n'existe pas d'erreurs, que «les choses s'arrangent toujours pour le mieux», c'est adopter une perspective plus large, plus profonde et plus longue que celle à laquelle nous, les êtres humains, avons accès. C'est peut-être vrai, bien que je ne voie pas comment on peut prétendre que «tout s'est arrangé pour le mieux» pour six millions de Juifs durant la Seconde Guerre mondiale. Ce type de point de vue nie ou ignore avec désinvolture la souffrance réelle et évitable qui survient à cause de l'échec de l'humanité. Pire encore, il laisse sous-entendre que nous ne sommes pas totalement responsables de nos choix, parce que les choses sont en quelque sorte déterminées d'avance. Bien que cela puisse nous réconforter momentanément, nous n'avons simplement aucun moyen de vérifier que c'est vrai. Je reconnais le mystère qui me porte toujours et me guide souvent, et j'en suis parfois émerveillée. Cela ne signifie pas que je ne commets pas d'erreurs, que je ne peux pas me tromper.

Refuser de reconnaître l'échec est souvent une tentative d'éviter la paralysie de la honte. Plusieurs d'entre nous ont été élevés ou éduqués par des personnes qui essayaient de nous faire sentir coupables quand nous commettions une erreur, en espérant que la peur de la honte nous aiderait à éviter les échecs futurs. Ça n'a pas marché. Il est impossible de vivre pleinement et d'éviter les erreurs. Alors, pour éviter la paralysie et la douleur de la honte, nous confinons nos vies aux domaines que nous connaissons bien et renions les erreurs qui surviennent.

J'ai été surprise de découvrir à quel point la peur de la honte de l'échec était profondément enracinée en moi. Quand mon fils aîné, Brendan, a eu des difficultés à l'école secondaire, qu'il s'est mis à aller lire à la bibliothèque plutôt que d'assister à ses cours (vous voyez, je veux que vous sachiez que ce n'est pas que je n'ai pas réussi à mettre au monde un enfant brillant; je n'ai juste pas réussi à avoir un enfant capable de supporter les rigueurs assommantes du système d'instruction publique), j'ai été stupéfaite de constater la terreur que j'éprouvais à l'idée qu'il ne réussirait peut-être pas son année. Tous les cauchemars associés à mes années d'études me vinrent à l'esprit: les enfants qui redoublent une année abandonnent l'école, ne se trouvent pas d'emploi et meurent dans la rue; ils sont marqués pour la vie comme des personnes déficientes, sans valeur, inacceptables – honteuses!

C'est extraordinaire à quel point ces peurs en moi sont tenaces, même si je vois bien maintenant qu'elles ne sont pas fondées. Combien de fois depuis que vous êtes adulte vous êtes-vous fait demander quelles étaient vos notes en géographie à l'école secondaire? Encore aujourd'hui, quand quelque chose m'angoisse – n'importe quoi – le rêve que je fais le plus souvent est que je me trouve à l'école, que je m'apprête à passer un examen et que je me rends compte que je n'ai pas assisté aux cours, ni étudié. Pourtant, je n'ai jamais failli échouer à un examen. Et voilà que mon fils incarnait mon pire cauchemar en n'allant pas à l'école et en n'étudiant pas.

Quand je parle à d'autres de ma peur de l'échec, le mien ou celui de mon fils à l'école, j'apprends des choses que j'ignorais sur les personnes qui m'entourent. Une amie m'avoue qu'elle n'a jamais eu son diplôme parce qu'elle a été incapable de réussir un cours de statistiques. Une autre me raconte que, quand elle était une jeune femme, elle a été forcée de jouer d'un instrument de musique en public et qu'elle a eu l'humiliation de mouiller son pantalon sur la scène. L'une après l'autre, des personnes que je respecte et admire me font part des échecs qu'elles ont vécus. Le plus étonnant, c'est que plusieurs des adultes les plus compétents et les plus affectueux que je connaisse n'ont pas réussi leurs études secondaires ou les ont abandonnées.

Quand nous ne pouvons pas accepter l'échec, nous restreignons l'intimité dans nos vies. Les gens ne racontent pas leurs échecs à des personnes qui n'ont de place que pour la perfection dans leur cœur. Racontez-moi un échec que vous avez connu, un moment où vous avez commis une erreur. Racontez-le-moi avec de la compassion pour l'enfant, l'homme ou la femme que vous étiez. Racontez-le-moi avec une honnêteté impitoyable et une acceptation sereine. Nous n'évitons pas la honte en cachant nos erreurs. La honte est simplement enfouie profondément en nous.

La honte relâche sa prise paralysante sur nous quand nous prenons la responsabilité pour nos erreurs et pour les conséquences parfois sérieuses que celles-ci peuvent entraîner pour nous-mêmes et les autres. De cette façon, la honte peut être notre alliée, nous faire voir des choses que nous refusions d'admettre sur nous-mêmes, nous guider vers certaines erreurs que nous n'avions pas reconnues. Accepter nos défauts signifie accepter que nous ayons pu blesser d'autres personnes, ou nous-mêmes, et réparer nos torts dans la mesure du possible.

Accepter notre responsabilité sans nous abandonner à la honte ou au blâme n'est pas chose facile. Mon défaut de voir et d'accepter mes limitations physiques a entraîné une maladie longue et débilitante. J'ai brûlé mon système immunitaire en faisant trop, en travaillant trop, en essayant trop et en m'inquiétant trop. Pendant des années, j'ai refusé de l'admettre et en conséquence j'ai continué de faire des erreurs qui ont perpétué la maladie. Il me semblait plus facile de composer avec la frustration et la douleur de la maladie que de prendre la responsabilité de mes erreurs.

Ce ne fut que quand j'ai accepté de regarder les choses en face, objectivement, que j'ai pu risquer de voir mes erreurs et donc éviter de les répéter. J'ai pris conscience que, bien que je sois parfaitement capable d'évaluer le temps que cela prend pour faire quelque chose – c'est pourquoi je suis rarement en retard – j'ai beaucoup de mal à évaluer la quantité d'énergie nécessaire pour faire quelque chose. Si je peux trouver le temps pour le faire, je crois que je peux le faire. Après avoir tenté pendant des années de corriger mon inaptitude – parce que pour moi c'était un échec moral d'être incapable d'évaluer ce que j'étais capable de faire – j'ai fini par l'accepter et par la compenser. Je planifie ce que je veux faire, et, sachant que je souffre d'une sorte de handicap de la perception à l'égard de ce que mon corps, mon esprit et mon cœur peuvent accomplir dans un temps donné, je réduis arbitrairement mes plans de 30% ou de 50%, ou bien je les soumets à des amis qui ont une meilleure idée de ce qui est humainement possible et je suis leurs conseils.

J'ai négligé de reconnaître mes erreurs pendant des années et je vis avec les conséquences. J'ai une bonne santé, mais mon système immunitaire est loin d'être robuste après avoir été usé pendant tant de temps. Il ne sera peut-être jamais rétabli. Bien sûr, certains facteurs qui affectent ma santé ne relèvent pas de moi: la génétique, la qualité de l'air et de l'eau que j'absorbe, la présence de maladies infectieuses dans mon entourage.

Je n'ai pas été la seule à subir les conséquences de mon défaut d'accepter mes limitations physiques. Mon manque d'énergie et mes maladies fréquentes ont profondément touché mes enfants. Il est difficile de vivre avec la conscience que nos erreurs ont un effet sur les personnes que nous aimons, particulièrement celles qui dépendent de nous, qui n'ont pas la possibilité de choisir de s'éloigner de nous. Les erreurs que j'ai commises avec mes fils, mes déficiences en tant que mère, sont les plus difficiles à accepter. Quand quelqu'un me dit que mes deux fils sont de jeunes hommes merveilleux, je me rappelle les fois où j'ai crié après eux pour des choses insignifiantes, les fois où je n'ai pas été pleinement présente pour eux. Ce sont de jeunes hommes merveilleux mais, sachant les erreurs que j'ai commises, je suis certaine qu'ils sont merveilleux malgré mes erreurs. La question est la suivante: Est-ce que je peux accepter mes échecs et tout de même dire «Oui!» à la vie, avoir quand même l'impression que je mérite la beauté qui m'entoure et que je suis capable de l'accueillir, y compris la beauté dans les hommes que sont devenus mes fils?

Le pardon vient avec le temps, à mesure que nous apprenons à accepter ce qui ne peut être changé. La capacité d'admettre ce qui est difficile réside en nous. Quand nous pouvons vivre consciemment avec la connaissance de ce que nous ou d'autres avons fait, nous sommes délivrés de nos efforts constants, bien qu'inconscients, pour nous éloigner de ce qui est. Essayer de nier les erreurs que l'on a commises, c'est comme tenter d'empêcher notre peau de toucher le tissu d'un vêtement froid et mouillé que l'on porte: c'est impossible, et c'est épuisant d'essayer.

Nous avons peur que nos échecs entraînent que l'on ne nous aime pas, mais l'amour ne se gagne pas. Notre façon de traiter les autres a bien sûr un effet sur nos relations. Je ne veux pas rester près de l'homme qui me bat. Je ne fais pas confiance à l'ami qui m'a menti à plusieurs reprises. Nous sommes aimés pour ce que nous sommes, pas pour ce que nous faisons. L'amour est plus grand que ce que nous faisons. L'amour nous pénètre si nous le laissons faire.

Un jour, j'ai pris conscience que je pouvais aimer une personne et décider tout de même de me séparer d'elle si nous avions ensemble un comportement préjudiciable l'une pour l'autre. Je ne suis pas forcée d'essayer de cesser de l'aimer. Et si j'aime une autre personne pour ce qu'elle est, pas parce qu'elle mérite mon amour par ses actions, l'inverse est également vrai pour les personnes qui m'aiment. Cela ne nous autorise pas à maltraiter les personnes qui nous aiment, mais cela nous aide à mettre fin à cet infini cercle vicieux qui consiste à faire des choses pour les autres, à essayer d'être ce que nous croyons qu'ils veulent que nous soyons, pour essayer de mériter leur amour. Cela ne fonctionne pas: l'amour ne se gagne pas.

En fin de compte, l'échec que je trouve le plus difficile à admettre est celui qui résulte du fait que je n'ai pas eu le courage de laisser l'amour m'amener où il voulait. Cette erreur ne peut pas être corrigée par un renouvellement d'efforts. Elle exige que je m'abandonne à ce qui est plus grand que moi-même, que je sois prête à aller de l'avant même si j'ai peur de commettre des erreurs. Elle exige que je sois honnête en ce qui concerne mes pires échecs et que je dise, quand je doute que quelque chose ou quelqu'un écoute: «Je ne sais pas comment faire pour accepter cela, comment me pardonner à moi-même. Je ne peux pas le faire avec ma volonté. Aidez-moi.»

En ce lieu, je m'assieds et j'attends que l'amour me trouve, vienne et m'emporte vers l'endroit où je serai la bienvenue, avec mes erreurs.

MÉDITATION SUR LE PARDON

Asseyez-vous ou étendez-vous confortablement et concentrez votre attention sur votre respiration. Prenez conscience du mouvement de votre poitrine qui s'élève et s'abaisse suivant vos inspirations et vos expirations. Si des pensées vous viennent à l'esprit, laissez-les s'éloigner doucement en expirant et reportez votre attention sur votre respiration. Laissez la fatigue quitter votre corps avec l'expiration. Dirigez votre souffle vers les points de tension dans votre corps et sentez la dureté céder devant la douceur de votre souffle, comme un rocher qui cède face au vent et à l'eau.

Maintenant, pensez à une erreur que vous avez commise; commencez par une petite erreur, une erreur de jugement ou une mauvaise décision qui n'a pas eu de conséquences sérieuses. Rappelez-vous les circonstances et les sentiments que vous avez éprouvés à l'occasion de l'incident. Imaginez-vous tel que vous étiez et projetez cette image de vous-même au centre de votre poitrine en plaçant le moi qui a commis l'erreur, qui a connu l'échec, dans votre cœur. Si vous le souhaitez, concentrez-vous sur trois ou quatre fois où vous avez commis des erreurs qui ont eu des conséquences plus sérieuses pour vous-même ou les autres, évoquant les images par ordre de gravité croissante. Chaque fois, emplissez votre poitrine de votre souffle et sentez votre cœur se gonfler de façon à faire suffisamment de place pour contenir chaque échec, chaque partie de vous-même qui a commis une erreur.

Pensez à d'autres personnes qui vous ont fait défaut d'une façon ou d'une autre, qui ont commis des erreurs ayant eu des conséquences négatives dans votre vie. Commencez par une personne que vous aimez et qui a involontairement par ses actions entraîné une conséquence relativement mineure. Imaginez-la en train de commettre l'erreur. Sentez la douleur et la colère qui vous ont poussé à vouloir la chasser de votre cœur ou à essayer de le faire. Respirez profondément et sentez votre cœur se gonfler. Sentez l'espace infini qu'il y a dans votre cœur pour contenir tous les aspects de vous-même et du monde, et ramenez dans votre cœur la personne qui vous a fait du mal. Vous pouvez choisir de le faire avec les personnes dont les actions ont eu les plus graves conséquences dans votre vie, ou avec des étrangers qui vous ont offensé de quelque façon.

Dans cette méditation, ne soyez pas trop exigeant. Ne chassez pas de votre cœur une partie de vous-même pour y faire entrer une personne ou une autre partie de vous-même qui vous a fait du mal. Si vous éprouvez de la difficulté, contentez-vous de ressentir l'émotion sans porter de jugement, de sentir la tension que présente le fait de vouloir chasser de votre cœur une partie de vous-même ou une autre personne en voulant simultanément vous y ramener ou y ramener l'autre. Vous n'êtes pas obligé de pardonner les erreurs commises, il vous suffit d'être disposé à accepter de vivre avec ce qui est et de ne pas rejeter de votre cœur un aspect de vous-même ou l'autre personne.

L'engagement

Je ne veux pas savoir
où vous vivez, ni combien d'argent vous avez.
Je veux savoir si vous pouvez vous lever,
après une nuit de souffrance et de désespoir,
malgré votre fatigue et votre douleur profondes,
et faire ce qu'il faut
pour nourrir les enfants.

ESSAYEZ CECI UN MATIN pendant que vous êtes encore au lit: imaginez des millions d'hommes et de femmes partout dans le monde qui sortent du lit au lever du jour, qui quittent des matelas orthopédiques et des paillasses, des hamacs, des futons et de minces couvertures sur un plancher en terre battue, pour s'occuper des enfants. Quelles que soient leur religion, leur culture ou leur situation matérielle, ils doivent essuyer des nez, donner à manger, sécher des larmes et répondre aux questions formulées par les jeunes esprits. Dans les villes modernes et les villages éloignés, le luxe des manoirs et la désolation des camps de réfugiés, on fait du feu, on allume des poêles, on ouvre des boîtes de céréales, on prend de l'eau au robinet, à la pompe, à la rivière, on pèle des fruits, on dénude des poitrines pour satisfaire des bouches affamées. Peu importe que les hommes et les femmes aient les ressources nécessaires pour répondre adéquatement aux besoins des enfants, peu importe qu'ils aient envie de se lever et de faire ce qui doit être fait, la vie appelle car elle doit continuer, que les parents soient malades ou en santé, analphabètes ou instruits, désespérés ou débordants d'enthousiasme face à la vie.

Allez vers eux un matin en imagination et sentez-les, ces millions d'hommes et de femmes qui font de leur mieux chaque jour pour nourrir les corps, les cœurs et les esprits de leurs enfants.

Mon père était monteur de lignes. Il montait dans les poteaux hydroélectriques dans le nord de l'Ontario avec une équipe qui veillait à ce que notre petite communauté éloignée reçoive le courant dont une grande partie de notre vie dépendait. Il a commencé à travailler à l'âge de 17 ans et a pris sa retraite à 55 ans. Pendant 38 ans, il a quitté la maison à 7 h 45 le matin. Parfois, il se levait en plein milieu de la nuit et sortait dans la neige et le froid glacial pour aller rétablir le courant. Les rares fois où il n'est pas allé au travail comme il était censé le faire (je me rappelle deux ou trois occasions où il est resté à la maison une journée parce qu'il avait la grippe) me mettaient mal à l'aise quand j'étais enfant. Je pensais que mon père, cet homme qui rentrait à la maison tous les soirs sentant la sueur et le créosote, faisait glisser sa boîte à lunch de métal sur le linoléum de la cuisine dans un grand fracas, riait et me prenait vivement dans ses bras, était l'homme le plus fort du monde, était un homme capable de faire tout ce qu'il fallait pour nous procurer ce dont nous avions besoin et nous protéger par tous les moyens. Parce qu'il le faisait. Et il le faisait parce qu'il nous aimait; parce que sa famille comptait beaucoup pour lui, comme c'est souvent le cas des personnes qui n'ont pas grandi au sein d'une famille heureuse et qui en ont souffert; parce que cela devait être fait.

Quand il ne travaillait pas, nous passions beaucoup de temps ensemble, ma mère, mon père, mon frère et moi, à camper, à pêcher, à faire de la marche en montagne, à jouer au ballon-balai sur la patinoire qu'il avait construite pour nous dans la cour arrière. Nous allions à l'église tous les dimanches, et nous mangions ensemble chaque soir, après quoi il nous lisait un court passage de la Bible et une prière dont nous discutions par la suite. C'étaient ces discussions que j'aimais le plus; j'analysais et remettais en question chaque hypothèse à la base des croyances qu'on m'inculquait. Si nous rendions grâce à Dieu pour le sauvetage du petit Rousseau, qui était tombé sous la glace de la rivière la semaine précédente, pourquoi n'aurions-nous pas pu l'en blâmer s'il s'était noyé? Pourquoi un Dieu aimant a-t-il insisté pour que son fils souffre et meure sur la croix pour nos péchés? Et comment cela s'explique-t-il exactement: comment la mort et la résurrection du Christ ont-elles réellement «payé» pour nos péchés? Et au fait, qu'est-ce qui fait qu'un péché est un péché?

Quand j'y repense, je ne suis pas certaine que les autres personnes présentes aimaient ces rêveries théologiques comme moi, mais la tolérance de mes parents devant mes questions incessantes de même que leurs réponses ont fait germer en moi des idées qui ont grandi avec moi: j'ai appris qu'il est bon de remettre en question même les concepts que les autres considèrent comme sacrés, de penser par moi-même; qu'il n'y a pas de réponses faciles; que nous avons toujours le choix et que nous sommes responsables de nos choix. Ces idées, et les mondes vers lesquels elles m'ont conduite, m'ont nourrie aussi sûrement que les pommes de terre en purée et les côtelettes de porc qui constituaient mon repas.

Ma mère était une femme au foyer. Je ne suis pas sûre qu'elle ait été heureuse de la vie qu'elle a choisie, bien qu'elle n'exprime aucun regret et demeure une femme dynamique et enjouée. Peut-être que je n'arrive tout simplement pas à séparer mes préférences des siennes aussi facilement que je puis le faire dans le cas de mon père. C'est une organisatrice infatigable, elle a l'esprit vif et est redoutablement perfectionniste, et je ne suis pas convaincue que le fait de s'occuper d'une famille de quatre personnes lui ait permis d'utiliser pleinement ses talents. Elle a vécu en harmonie avec ce qui était important pour elle: la famille nucléaire traditionnelle et le foyer. Elle est tombée enceinte de moi à 18 ans et s'est mariée peu de temps après, au milieu des années 50; elle n'a donc probablement pas eu la possibilité de découvrir ce qu'elle aurait pu aimer d'autre. Si c'est le cas, je n'en éprouve que plus d'admiration pour la façon dont elle a fait ce qui devait être fait. Elle se levait tous les matins avant mon père, préparait son petit-déjeuner, puis le nôtre. Je ne me souviens pas l'avoir jamais vue manquer à ce devoir, ni à aucun parmi les milliers d'autres qu'elle s'imposait durant la journée. Si je considérais que mon père était fort, je croyais ma mère invincible; c'était quelqu'un sur qui je pouvais compter les yeux fermés, comme sur le lever du soleil et la solidité du sol sous mes pieds.

Pleine de vitalité, ma mère était toujours en mouvement, et il n'était pas rare qu'elle s'impatiente devant les exigences et la lenteur des petits enfants. Mon frère et moi connaissions son tempérament et nous faisions de notre mieux pour ne pas la provoquer. Quand j'étais très jeune, je me réveillais la nuit. Je n'avais pas vraiment besoin de quoi que ce soit. Je voulais seulement, dans l'obscurité, savoir que ma mère était là. J'étais dans mon lit et je me demandais si j'oserais l'appeler. Finalement, je décidais de l'appeler tout doucement, me disant que si elle dormait elle ne m'entendrait pas mais que si elle était éveillée elle ne serait pas fâchée. Je l'appelais toujours le plus doucement possible, mais chaque fois elle apparaissait instantanément à côté de mon lit, sans jamais manifester d'impatience ni de colère. Je lui demandais un verre d'eau – elle devait savoir que ce n'était qu'une ruse; elle m'en apportait un verre, s'assoyait quelques minutes près de mon lit, m'embrassait et me disait qu'elle m'aimait. Je me souviens combien il était rassurant de savoir que, peu importe avec quelle douceur je l'appelais, elle serait toujours là et ne serait jamais fâchée que je l'aie appelée.

Mes parents ont fait de leur mieux pour nourrir les corps, les esprits et les cœurs de leurs enfants chaque jour, qu'ils en aient eu envie ou non. Maintenant que j'ai eu des enfants, je m'émerveille de la façon avec laquelle ils l'ont fait malgré leur jeune âge, sans se plaindre. Ils ont pris un engagement l'un envers l'autre et envers leurs enfants, et ils l'ont respecté. J'ignore ce qu'il leur en a coûté. Je ne le saurai probablement jamais. Mais ayant eu des enfants moi-même, je sais à quel point il est parfois difficile de faire ce qui doit être fait.

Les gens de la génération de mes parents ont pour la plupart été élevés selon une conviction qui était à la fois une malédiction et une bénédiction: les engagements devaient être respectés, les obligations devaient être exécutées. Il n'y avait pas d'autres choix. Quand nous sommes convaincus que nous n'avons pas le choix, nous perdons moins d'énergie à nous demander quoi faire et à nous impatienter contre ce qui doit être fait. C'est l'avantage d'avoir des règles claires et des obligations bien définies. Il y a un autre côté au confort que nous ressentons quand notre devoir est déterminé pour nous. Si les paramètres rigoureux de ce qui est attendu de nous ne nous conviennent pas, nous devons nous modeler pour les satisfaire, peu importe ce qu'il en coûte. Ma mère, même si elle n'était pas naturellement faite pour jouer le rôle de femme au foyer, a réussi à s'y plier malgré les efforts herculéens que cela exigeait d'elle, sans perdre son enthousiasme pour la vie ni sa capacité de connaître la joie. D'autres femmes et leurs enfants n'ont pas eu autant de chance. Derrière les portes closes, dans des pièces immaculées, plusieurs amies de ma mère ont noyé dans l'alcool et les médicaments leur douleur de ne pas vivre ce qu'elles étaient, et quelques-unes ont sombré dans la maladie et le suicide.

Plusieurs des femmes de ma génération sont quotidiennement déchirées par les choix qui s'offrent à elles, mais je suis reconnaissante de disposer de ces choix. Quand je travaillais, je me sentais inquiète et coupable de laisser mes enfants à la garderie. Quand je restais à la maison, je pensais que le désœuvrement intellectuel, la difficulté de vivre avec trop peu d'argent et la peur de ne jamais pouvoir retourner sur le marché du travail me rendraient folle. J'avais hérité des valeurs de mes parents dans un monde où il y avait beaucoup plus de choix et d'exigences, et j'avais en plus mes propres espoirs de développer mes intérêts et talents personnels. Alors, j'ai essayé de tout faire: entretenir la maison et m'occuper des enfants comme si j'étais à la maison à temps plein, assister à des cours pour développer mes aptitudes et travailler pour avoir de l'argent et nous assurer la sécurité financière. Et je suis tombée malade, très, très malade.

Un des avantages de se trouver couchée par terre, trop malade pour se lever alors qu'on doit s'occuper de deux jeunes enfants, c'est la facilité et la clarté avec lesquelles on sait ce qui doit réellement être fait. Maintenant, quand je travaille avec des hommes et des femmes épuisés par le surcroît de travail et l'inquiétude qui m'énumèrent toutes les choses qu'ils *doivent* faire, je leur dis: «Vous savez, très peu de choses *doivent* réellement être faites.» J'ai découvert quand j'étais malade que je ne *devais* pas absolument faire des biscuits, que les planchers ne *devaient* pas forcément être immaculés, que je ne *devais* pas nécessairement assister aux réunions de l'association parents-maîtres, que l'égouttoir à vaisselle ne *devait* pas obligatoirement être vidé, que les repas ne *devaient* pas toujours être exotiques et innovateurs. Trop malade pour faire ce qui ne devait pas absolument être fait, j'ai fait l'impossible: j'ai abaissé mes standards.

Et alors, j'ai fait seulement ce qu'il fallait réellement faire pour nourrir les enfants. Je me suis assurée qu'ils étaient raisonnablement propres, au sec et bien nourris. Je les ai écoutés et je leur ai fait savoir que je les aimais. J'ai cessé d'essayer de trouver une façon d'éviter toute tension entre mon désir de travailler et mon dévouement envers mes enfants. J'ai commencé à chercher et j'ai trouvé un moyen de vivre tout simplement avec cette tension, j'ai cessé de la combattre et d'espérer qu'elle se résolve.

En déterminant constamment ce qui nourrissait vraiment mes enfants, j'ai dû accepter la personne que j'étais. À certains points de vue, je pouvais faire le maximum et je l'ai fait, mais je devais aussi accepter mes limites et ne pas essayer de donner à mes enfants quelque chose que je n'avais tout simplement pas parce que je pensais que je *devais* être capable de le faire. Parfois, c'étaient eux qui m'apprenaient ce que je pouvais et ne pouvais pas leur offrir.

Quand Nathan a eu cinq ans, j'ai organisé une fête d'anniversaire: six petits garçons ont couru à toute vitesse et avec grand bruit dans la maison pendant quatre heures. J'ai essayé d'être patiente. J'ai acheté des surprises pour tout le monde, j'ai organisé le jeu de la queue de l'âne, j'ai soufflé des ballons et j'ai fait cuire un gâteau. Je voulais être capable de faire cela. Et j'ai détesté cela. Plusieurs jours après la fête, Nathan est venu me voir tandis que j'étais assise dans la cuisine et, plein de sollicitude, il a mis sa petite main sur mon bras. «Maman, a-t-il dit, tu n'es pas bonne pour les fêtes. J'ai eu du plaisir, mais je crois qu'à l'avenir c'est papa qui devrait s'occuper des fêtes. Ça ne le dérange pas ce que font les garçons. Tu es bonne pour d'autres choses, mais tu n'es pas bonne pour les fêtes.»

Nathan me voyait et m'acceptait telle que j'étais plus facilement que je le pouvais moi-même. Et j'ai fini par apprendre que, la plupart du temps, tout ce que je peux réellement offrir à mes fils c'est la personne que je suis. J'ai appris à cesser d'essayer d'être quelqu'un d'autre, à croire que ce que je pouvais leur offrir serait suffisant, les nourrirait. Alors, je leur ai offert les choses que je connais et que j'aime: la poésie, les idées, la prière et les vacances à la campagne.

Il n'en demeure pas moins qu'il est des choses dont les enfants ont besoin, des choses qui nourrissent leur corps, leur cœur et leur esprit, et que nous ne sommes pas en mesure de leur procurer certains jours. Nous avons beau imaginer toutes sortes de façons de leur fournir les choses essentielles en étant ce que nous sommes, il y a des moments où nous devons simplement puiser profondément en nous pour faire ce qui doit être fait, même si nous ne voulons pas le faire ou que nous nous en sentons incapables. Je me rappelle avoir eu un professeur qui nous inculquait que nous devions toujours être maîtres «de la cause», c'est-à-dire être les déterminants uniques de nos actions, et non être victimes «des effets», c'est-à-dire voir nos actions dirigées ou définies par les circonstances et les besoins et exigences des autres. La première fois que je l'ai rencontré, je lui ai demandé, en toute innocence: «Comment puis-je être maître «de la cause» à trois heures du matin quand un de mes fils est malade et que je dois me lever pour m'occuper de lui?»

Il n'avait pas de réponse à me proposer, et il m'a dit que c'était la raison pour laquelle il aimait si peu les enfants: parce qu'ils étaient tellement dépendants. C'est en m'occupant de mes fils que j'ai trouvé la réponse à ma question.

Quand Brendan était petit, je me levais la nuit pour l'allaiter et je me demandais avec inquiétude combien de temps cela allait durer. Je me réveillais en sursaut et je le regardais avec angoisse en espérant qu'il se rendormirait, en le priant silencieusement de se rendormir. J'étais complètement soumise «aux effets» de la maternité. Les besoins de Brendan déterminaient mes actions, et cela m'épuisait.

Quand Nathan est né, je n'étais pas angoissée comme pour mon premier enfant. Je savais que, peu importe le nombre de fois qu'il se réveillerait et le temps que cela durerait, il finirait un jour par dormir toute la nuit. Après tout, combien connaissez-vous d'enfants de 18 ans qui ont besoin de leur mère la nuit? (Bon, d'accord, mais combien en connaissez-vous qui souhaitent réellement la voir apparaître?) C'était fini dans le cas de Brendan, ça finirait également dans le cas de Nathan. Cette connaissance m'a aidée à m'abandonner à ce qui devait être fait. Plutôt que de combattre, de m'inquiéter, ce qui ne faisait qu'ajouter la souffrance de l'angoisse à l'inconfort de l'insomnie, j'ai cédé à la tâche qui m'attendait. Même si Nathan se réveillait plus souvent que Brendan, c'était moins fatigant de le nourrir et, probablement parce qu'il ne sentait pas de tension chez moi, il se rendormait plus rapidement.

Dans une société qui valorise la liberté individuelle plus que tout, c'est ce que nous avons trop souvent perdu, ce que nous devons nous rappeler si nous voulons faire ce qu'il faut pour l'avenir de notre peuple sans sacrifier nos âmes: comment nous abandonner et faire ce qui doit être fait pour nourrir l'esprit, le corps et le cœur de nos enfants. Et qui donc n'est pas notre enfant? Quand nous nous abandonnons, quand nous ne luttons pas contre la vie qui appelle, nous sommes stimulés et nous trouvons la force de faire ce qui doit être fait.

Il est facile d'oublier cela, surtout quand nous sommes fatigués et blessés au centre de notre être par les déceptions de la vie, la maladie, la pauvreté ou le deuil. Et c'est là, dans ce moment où cela semble impossible, quand nous pensons que nous n'avons plus de ressources dans lesquelles puiser, que quelque chose d'autre peut entrer si nous savons nous abandonner aux tâches que la vie nous impose. Là, il n'y a plus de fatigue, il n'y a que la nécessité d'être et de faire ce qui doit être fait. Nous sommes maîtres «de la cause» parce que nous nous sommes rappelé que nous pouvons choisir de servir la seule cause qui importe: celle de la vie elle-même. Et dans notre capacité de le faire volontairement, quand nous nous levons de toute façon pour faire ce qui doit être fait par amour, nous rayonnons de dignité. Quand je vois cela chez une personne, je suis remplie d'une infinie tendresse pour notre fragilité et notre force.

Je veux être avec les personnes qui savent cela, qui ont trouvé en elles-mêmes l'aptitude à nourrir les enfants quand elles s'en croyaient incapables. Ce sont des hommes et des femmes qui ont, avec beaucoup d'humilité, fait preuve de noblesse.

MÉDITATION POUR CEUX QUI NOURRISSENT DES ENFANTS

Asseyez-vous ou étendez-vous confortablement et concentrez votre attention sur votre respiration. Suivez le mouvement de vos inspirations et de vos expirations dans votre corps. Laissez votre ventre se détendre et laissez s'évanouir toute rigidité, toute tension ou toute fatigue avec chaque expiration. Relâchez toute la fatigue contenue dans votre corps.

Maintenant, évoquez en imagination la réalité de millions d'hommes et de femmes qui s'occupent d'enfants chaque jour. Allez vers eux et regardez-les avec les yeux de votre esprit: des mères qui se lèvent à l'aube et habillent de jeunes enfants endormis; des pères qui portent dans leur lit les petits enfants fatigués; des bras solides qui bercent de petits corps; des hommes et des femmes qui se rendent en voiture ou à pied dans des usines, des bureaux et des champs pour procurer le nécessaire à leurs enfants... Examinez les images qui viennent à vous. Constatez à quel point, malgré les différences de lieu et de culture, le désir de s'occuper des enfants et la volonté de le faire sont semblables. Dites une prière pour chacun de ces hommes et femmes et leurs petits fardeaux; entourez-les d'une lumière de force, de paix et de gratitude, et souhaitez qu'ils puissent avoir ce dont ils ont besoin pour s'occuper des enfants.

Rappelez-vous maintenant les personnes qui se sont occupées de vous. Reportez votre attention sur votre respiration et attendez les images qui vont se présenter. Même si votre enfance a été difficile, quelqu'un s'est occupé de vous,

vous a nourri, vous a regardé, vous a touché, ne serait-ce que par intermittence. Ce furent peut-être vos parents, un professeur, un oncle ou une tante, ou un ami de la famille. Souvenez-vous des fois où votre corps, votre cœur ou votre âme ont été nourris, et dites une prière de remerciement pour les personnes qui vous ont nourri. Laissez votre cœur se souvenir de ce que vous avez reçu et s'emplir de gratitude.

Suivez votre respiration et concentrez-vous maintenant sur ceux qui craignent d'être incapables de nourrir leurs enfants: ceux qui, dans des camps de réfugiés ou des pays en guerre, voient leurs enfants mourir lentement de faim; les mères qui, dans les ghettos des grandes villes, attendent que leurs enfants rentrent à la maison en craignant pour leur vie à cause de la violence qui y règne; ceux qui n'ont pas accès aux écoles ou aux hôpitaux pour assurer l'épanouissement des esprits et des corps de leurs enfants. Pensez aux rêves qu'ils entretiennent pour leurs enfants et voyez comme ces rêves sont les mêmes pour toutes les personnes qui aiment leurs enfants. Sentez leur désespoir et leur façon de faire ce qu'ils peuvent, avec beaucoup de courage. Dites une prière pour ces hommes, ces femmes et leurs enfants; entourez-les d'un arc-en-ciel d'amour et de force.

Reportez votre attention sur votre respiration et sur votre propre vie. Qu'est-ce qui nourrit les enfants dans votre vie? Voyez comment, dans votre façon de conduire votre vie quotidienne, votre façon d'être avec les autres, votre façon de vous occuper de votre foyer, de votre communauté et de la terre, vous avez l'occasion de contribuer à faire ce qui doit être fait pour nourrir les enfants. Prenez conscience du fait que chacun est, à un certain moment, un enfant: un être innocent qui a besoin de soins, qui mérite la tendresse. Prenez conscience des enfants non humains de la planète: les animaux, les plantes, les minéraux, l'air et l'eau. Si vous le souhaitez, expirez en disant «oui» pour exprimer votre volonté de faire ce qui est nécessaire, de nourrir tous les enfants, de prendre soin du monde.

Le feu

Je ne veux pas savoir qui vous connaissez,
ni comment vous avez fait pour arriver ici.
Je veux savoir si vous resterez au centre du feu
avec moi,
sans reculer.

PARFOIS, NOUS PARTONS À LA RECHERCHE du feu qui brûlera toutes les impuretés dans nos vies. Plus souvent, nous nous trouvons soudain encerclés par les flammes. Les expériences intenses du cœur nous transforment. Je veux savoir si vous pouvez rester à mes côtés, les yeux grands ouverts, quand le feu, sollicité ou non, consume tout ce que nous croyons connaître. Je veux savoir si vous vous offrirez vous-même comme combustible pour les flammes et si vous laisserez le Mystère que nous recherchons, le divin dont nous avons tant besoin et qui se présente sous des formes imprévisibles, vous consumer et vous transformer.

En parlant du feu, nous oublions ce qu'il est vraiment. Ce n'est que dans les expériences où nous avons été brûlés et où nous sommes sortis des cendres que nous nous rappelons les flammes.

Il y a cinq ans, j'étais dans ma cuisine avec une amie et tout était comme cela avait toujours été, plus ou moins, pendant 38 années. À un moment, elle a levé la main vers le côté droit de sa tête et s'est plainte d'un mal de tête soudain, et tout a changé. C'est ce qui arrive: après le feu, rien n'est plus jamais pareil.

Quand j'y repense, je vois la scène au ralenti, sans son, mais avec des couleurs très vives. Je me vois, comme si je regardais une étrangère, aller vers elle sur le carrelage noir et blanc, mon front plissé par l'inquiétude, mettre un bras autour d'elle et l'amener vers une chaise. Je sens mon bras étrangement faible autour de son corps robuste. Rien ne prouve qu'il y a quelque chose de grave, mais je suis soudain persuadée que nous devons aller à l'hôpital.

Je nous vois descendre les marches de l'escalier de la maison. Catherine s'installe à l'avant de ma petite voiture rouge stationnée au bord du trottoir. Elle se plaint qu'elle a la nausée, alors je lui tends un petit bol à mélanger en plastique vert, qu'elle place soigneusement sur ses genoux après avoir attaché sa ceinture de sécurité.

J'entends le déclic de la ceinture. Je n'entends pas les enfants rire sur le trottoir dans le soleil de la fin de l'après-midi tandis que nous roulons dans la rue, mais je les aperçois, dans la périphérie de ma vision, qui courent et qui se lancent un ballon. Je me vois conduire, tandis que Catherine vomit dans le bol de plastique. Je conduis toujours. Le bol tombe sur le plancher de la voiture dans une cascade au ralenti, pendant que Catherine a des convulsions, une fois, deux fois. Ses yeux sont révulsés, son corps se raidit contre la ceinture de sécurité qui la retient, et finalement elle s'immobilise, sa tête penche vers l'avant, oscille au rythme des mouvements de la voiture, son corps s'affaisse, sans vie.

C'est comme regarder un film sans la bande sonore. Pendant un moment, je ne reconnais pas la personne qui conduit la voiture. Son visage, mon visage, est transformé par la peur. Sa bouche, ma bouche, s'ouvre. Je n'entends pas de son, mais je vois deux mots se former: «Catherine! Non!»

Ce qui se passe ensuite est plus difficile à voir; le souvenir déforme les sensations, fractionne les pensées. Je suis sûre qu'elle est morte. Je rejette cette information. Je sais que l'hôpital se trouve à cinq minutes. Je sais que dans cinq minutes il sera trop tard. Tandis que je continue de rouler, mon attention se divise et je sens que je m'élève, avec effort, vers le ciel. J'éprouve la violente sensation que mes muscles sont arrachés de mes os, puis j'ai l'impression d'être catapultée hors de la voiture. Soudain, je puis voir le toit de la voiture, la cime des arbres de chaque côté de la rue, d'un vert tendre dans la chaleur du printemps, et au-dessus de moi quelque chose de scintillant, comme un long ballon argenté glissant vers les nuages avec sa corde qui pendille. Je tends la main vers lui, je l'attrape et je le tire vers le bas.

Mon corps est agité d'un violent tremblement. La sensation rappelle le sursaut qui m'éloigne du seuil du sommeil quand je commence à m'endormir le soir. Mes mains me font mal tellement elles sont fermement soudées au volant. Je reprends conscience de la rue devant moi et du corps de

Catherine qui est retenu par la ceinture de sécurité, qui se soulève et s'abaisse au rythme de sa respiration. Parce que j'ai besoin d'entendre le son de ma propre voix, je ne cesse de lui répéter de continuer de respirer, de s'accrocher. J'essaie d'avaler et je n'y arrive pas. Une voix murmure: «Si tu paniques, elle va mourir.» Pour la première fois de ma vie, j'éprouve un impérieux besoin de crier.

Tout en conduisant, je continue de retenir le filament brillant que j'ai tiré du ciel, je m'en enveloppe et je l'accroche là, dans le corps rond et doux à côté de moi. Je ne lâcherai pas. J'ai du mal à respirer moi-même. Mes bras tremblent légèrement de fatigue.

Une prière silencieuse me vient sans que j'y pense: «Aidez-moi. Je ne réussirai jamais à l'emmener à l'hôpital comme ça. S'il vous plaît, aidez-moi.»

Nous approchons de la fin du pâté de maisons. Il n'y a pas plus de deux minutes que nous sommes montées dans la voiture. Alors que nous approchons de l'intersection, j'entends une voix, douce et tranquille: «Traverse l'intersection et appuie sur le klaxon.» Je ne m'arrête pas au stop et je m'engage aveuglément dans l'intersection en klaxonnant. Une voiture de police dans la rue à ma gauche s'arrête dans un crissement de pneus à notre hauteur.

Les choses se précipitent. Une ambulance arrive. Deux fois durant le trajet à l'hôpital, Catherine est ressuscitée. Le chirurgien commence par refuser de l'opérer. Le dommage causé par l'anévrisme est trop important. Il est certain qu'elle ne survivra pas ou, si elle survit, que ses fonctions cérébrales seront interrompues. C'est un petit homme efficace aux cheveux gris. Il formule son pronostic d'un ton neutre.

J'attends. Je m'accroche. Seule à son chevet, après le départ du médecin, je lui tiens la main et je lui parle doucement, avec ferveur: «Tu peux revenir, Catherine. Ne t'occupe pas de ce qu'ils disent. Tu peux revenir à ta vie, te remettre complètement si tu veux.» Je crois que c'est vrai. Les heures passent. Roger, son mari, arrive. Les médecins opèrent pour arrêter l'hémorragie et Catherine entre dans le coma.

Nous sommes assis à l'unité de soins intensifs près de sa forme comateuse, des tuyaux, des tubes et des écrans qui scintillent. Après cinq semaines, l'aumônier commence à suggérer d'enlever le respirateur, de laisser Catherine mourir. Roger me demande de lui donner mon avis sur ce qu'il devrait faire et je vais m'asseoir seule dans le parc.

Le parc est un endroit animé, plein d'ivrognes, d'écureuils et de pigeons. Je trouve un endroit sous l'un des plus grands érables, et là je laisse les bruits de la ville monter et descendre autour de moi en suivant le rythme de ma respiration, je ferme les yeux et j'attends que mes pensées s'éloignent doucement. Il fut un temps où j'aurais eu peur de m'asseoir de manière si ouverte et détendue dans un parc du centre-ville, mais la peur n'existe pas pour le moment. J'ai vu avec quelle rapidité les choses peuvent changer. Il n'y a pas de temps à perdre en vaines craintes. Les charognards du parc ne doivent pas me sentir vulnérable. Personne ne s'approche; on me laisse à ma solitude.

Cela ne prend pas de temps. Pendant cinq semaines, une partie de mon attention est restée liée à Catherine, où que je sois. Je trouve la tranquillité facilement et je l'appelle; je la vois souriante devant moi.

Catherine a été mon étudiante pendant cinq ans. Elle participait aux ateliers et souvent elle m'aidait à faire la cuisine et le nettoyage. Je suis restée à son chevet et je lui ai tenu la main à l'occasion de ses deux fausses couches. Elle m'apportait du jus et des muffins le matin quand j'étais malade. Assises sur la courtepointe de ma grand-mère à siroter du thé, nous nous racontions nos rêves nocturnes. Je l'aime. Elle a confiance en moi.

Elle me regarde dans les yeux de mon esprit et fronce les sourcils d'un air inquisiteur qui m'est familier. «Ils envisagent de débrancher le respirateur, Catherine. Roger doit leur donner une réponse.» Son visage devient sérieux, songeur. Je lui demande ce qu'elle veut.

Elle hésite. «J'ai besoin de 24 heures.», dit-elle. Je fais oui de la tête, je cligne des yeux et je suis aveuglée par les rayons du soleil.

Roger dit à l'aumônier qu'il va prendre sa décision dans 24 heures. Dix-huit heures plus tard, Catherine sort du coma et, pendant un moment, je me permets d'imaginer que rien n'a changé, que ce que nous croyions connaître est demeuré intact.

Le tube du respirateur est retiré et Catherine retrouve sa voix. Elle me reconnaît et reconnaît sa mère, mais elle me demande qui est l'homme sur la photo près de son lit. C'est son mari, Roger. Elle se rappelle toutes les prières et les chansons que nous avons apprises ensemble, mais elle ne sait plus se servir d'une brosse à dents ou d'une cuillère. Elle semble étrangement détachée de ce qui lui est arrivé; son affect émotif est au point neutre. Avec le temps, des morceaux sont retrouvés et recousus dans le tissu de sa mémoire et de son fonctionnement quotidien, mais cela demeure une courtepointe où certains carrés manquent et où certains autres apparaissent pour disparaître de nouveau. Cinq ans après l'opération, elle est toujours handicapée physiquement et mentalement. Elle a besoin de soins jour et nuit.

Elle est changée pour toujours. Et moi de même. Quand l'anévrisme de Catherine a éclaté, tout ce que j'avais appris, tout ce pour quoi j'avais travaillé, a été mis à contribution. Et ce n'était pas assez. Je voulais la sauver, la faire revenir comme avant. Quelle arrogance incroyable! Quelle innocence stupéfiante! Un héros, avec tout son talent et son courage, n'aurait pas pu faire ce qui était requis. J'ai été confrontée à l'illusion de ma conviction que je pouvais tout arranger en faisant tout simplement plus d'efforts quand cela importait vraiment. Je ne le pouvais pas. Et si tout mon travail ne pouvait servir à protéger les personnes que j'aimais contre les tragédies, à quoi servaient les choses que j'apprenais et que j'enseignais? Pourquoi est-ce que je travaillais aussi fort?

Pour continuer, je devais vivre différemment. Je devais trouver le moyen de vivre avec l'immensité de ce que je ne savais pas et de ce que je ne pouvais contrôler. Je ne sais pas si j'ai eu raison de tendre la main vers Catherine et de la ramener. Je ne sais pas si c'est vraiment ce que j'ai fait, bien que la description que fait Catherine de ce qui est arrivé coïncide avec l'expérience que j'ai vécue. Je ne crois pas que j'agirais autrement si c'était à recommencer, quoique j'aie souvent pensé que ç'aurait été plus facile pour Catherine et pour les personnes qui l'aiment – plus facile pour moi – si elle était morte. Je ne sais pas pourquoi elle a choisi de revenir. Je ne sais pas si elle avait le choix, même si elle a l'impression que oui.

Le fait de rester au centre du feu avec Catherine m'a changée. J'ai développé un degré d'honnêteté impitoyable et une aversion presque physique pour les petits mensonges que nous nous racontons quotidiennement. Si la vie est précieuse et fragile, je ne veux pas perdre de temps en demi-vérités polies. Alors, quand une étudiante que j'aime me dit en pleurant qu'elle ne peut imaginer comment l'homme avec qui elle est mariée depuis 18 ans peut lui avoir menti autant pendant leur mariage, qu'elle ne peut pas comprendre ce type de subterfuge, je lui dis, le plus doucement possible: «Bien sûr que vous le pouvez, parce que vous aussi vous avez menti pendant 18 ans: à vous-même. Vous vous êtes laissée aller et vous avez prétendu ne pas voir la vérité. C'est cela qui est difficile.»

Je ne pouvais pas sauver Catherine. Tout ce que je pouvais faire, c'était refuser de fermer mes yeux et mon cœur tandis que le feu nous encerclait toutes les deux, refuser d'arrondir les angles avec des explications réconfortantes que je ne pouvais pas savoir vraies, qu'elles aient relevé des desseins de Dieu ou des leçons du karma. Parfois, c'est le seul choix que nous avons: celui de refuser ou d'accepter de rester éveillés tandis que nous sommes déchirés par quelque chose que nous ne pouvons pas contrôler. J'ai découvert que je peux le faire si je veux: je peux rester éveillée, laisser les souffrances du monde me déchirer, puis laisser les joies me remettre d'aplomb, différente de ce que j'étais mais de nouveau entière.

Parlez-moi des feux qui ont transformé votre vie. Étiez-vous seul, ou y avait-il un ami à vos côtés, une personne qui vous aimait, qui gardait les yeux grands ouverts et vous tenait la main?

Le refus de Catherine de me lâcher la main quand le feu nous a entourées m'a nourrie et m'a fait remettre en question tout ce que je croyais savoir.

Un an après être sortie du coma, Catherine participe à une séance de réflexion pour femmes que je préside dans un camp en pleine nature. Adossée à un matelas gonflable disposé sur le sol, légèrement penchée du côté où elle est partiellement paralysée, Catherine est entourée de cèdres, de sapins et des bruits d'une douzaine de femmes qui discutent et rient en assemblant et en coupant du bois pour le feu. Son chapeau ajusté, muni d'un rabat, est posé légèrement de travers sur sa tête, ce qui permet de voir sur son front l'endroit où l'os est affaissé, une découpure ronde de la taille d'une pièce de un dollar.

Tout ce qu'elle fait lui demande une grande concentration. De temps en temps, une des femmes qui portent du bois lui tend une petite branche. Lentement, laborieusement, elle casse les branches et les empile sur le sol près de ses jambes. Elle fait cela depuis un peu plus d'une heure. La pile de branches cassées a environ sept centimètres de hauteur. Elle veut aider, participer à la préparation du bois pour le feu.

Je m'arrête un instant pour la regarder. Elle lève les yeux et me sourit. J'essaie de lui sourire aussi, de surmonter la douleur que je sens dans ma poitrine chaque fois que je la regarde. Je m'approche et m'assois sur le sol à côté d'elle.

Il y a une politesse, une formalité dans la façon de parler de Catherine qui n'était pas là avant. Cela crée une étrange distance entre nous. Depuis qu'elle est sortie du coma, son ton ne contient plus aucune émotion. Je ne l'ai pas vue pleurer.

Soudain, elle prend ma main dans la sienne et se penche vers moi. «Je veux te remercier de m'avoir donné la possibilité d'être ici.» J'essaie de sourire, mais ma gorge se serre. «Je veux que tu saches: je sais que je ne serais pas ici, en vie, si cela n'avait été de toi.»

Je tente de chasser du revers de ma main la douleur dans ma poitrine, je hausse les épaules d'un air de feinte indifférence et j'essaie d'utiliser un ton neutre. «Tu as choisi de vivre, Catherine.»

«Oui.» Sa voix est douce, comme si elle essayait de ne pas me faire peur. «C'est vrai. Mais c'est toi qui m'as donné ce choix. J'étais si effrayée, si confuse, et tu m'as tendu la main, tu m'as prise dans tes bras. Tu es restée près de moi durant tous ces jours et ces nuits.»

Spontanément, je prononce les mots interdits. «Je me demande parfois si j'ai bien fait.»

Elle me serre la main. «Je sais que ce doit être difficile pour toi de voir ainsi ton amie mais, peu importe combien les choses paraissent difficiles pour elle, ou à quel point elle doit lutter, elle n'a jamais regretté d'être revenue. Elle est heureuse d'être en vie et elle veut que tu le saches.»

Sa façon de parler d'elle à la troisième personne est déconcertante. Il lui arrive souvent de mélanger les pronoms, mais cette fois c'est différent. C'est comme si elle me parlait de la Catherine que je connaissais avant, comme si la femme qu'elle avait été était toujours là, silencieuse, invisible. Je veux parler à cette femme, à la Catherine que je connaissais, juste une minute, lui dire à quel point je l'aime. Je veux seulement une minute pour lui dire au revoir.

Elle me regarde attentivement. «La vie est encore bonne.» Je veux la croire, mais comment est-elle encore bonne, cette vie qui est la sienne? «J'ai beaucoup appris.» Sa voix est faible, presque hésitante.

«Vraiment?», lui dis-je. Moi, qui ai tellement soif d'apprendre, j'attends quelque chose qui fasse que tout cela vaille la peine. «Quoi?»

«Eh bien..., murmure-t-elle, j'ai appris à vivre pleinement le moment présent.» Elle émet un rire bref. «C'est tout ce que j'ai. Je n'arrive pas à me rappeler ce qui vient de se passer ni ce qui doit venir ensuite.»

Elle s'arrête et regarde le lac. Pour la première fois, ses yeux s'emplissent de larmes. Sa voix est rauque. Elle parle très lentement. «Et j'ai appris que des choses très mauvaises peuvent m'arriver.» Je mets mon bras autour de ses épaules. Elle appuie son front cicatrisé contre le mien. Des larmes silencieuses glissent le long de nos joues.

Soudain, le long et sinistre cri d'un huard déchire le silence et retentit tandis que trois oiseaux se posent sur le lac devant nous, deux mâles et une femelle. Toutes les femmes qui travaillent dans la clairière s'arrêtent pour les observer.

«Où est sa compagne?», demande Catherine en désignant le mâle qui est seul. Les huards adultes s'accouplent pour la vie et on les voit généralement en paires.

«Ils ont quitté la région ensemble l'automne dernier, mais il est revenu seul au printemps, lui dis-je. Elle est probablement morte durant le voyage.» Le huard ouvre son bec et fait résonner son cri solitaire sur le lac, comme s'il confirmait mes dires.

«Alors, il sera seul maintenant.» La voix de Catherine est de nouveau lente et dépourvue d'émotion.

«Oui, dis-je. Il sera seul.»

Nous restons assises tranquillement et nous regardons les oiseaux qui nagent d'un bout à l'autre du lac, les rayons du soleil de la fin de l'après-midi qui scintillent à la surface de l'eau, et nous respirons l'odeur du cèdre et celle de la fumée de bois qui s'entremêlent avec les premières manifestations de l'automne dans l'air. Les huards s'interpellent. Leur chant intermittent est étrangement triste, et pourtant d'une beauté saisissante. Ce son me donne toujours l'impression qu'on me fait signe d'approcher, de rentrer à la maison; il me rappelle une chose ou un endroit que je pensais ne jamais pouvoir oublier. Quelques instants plus tard, Catherine se tourne vers moi et serre ma main. Ses yeux sont brillants, son visage ouvert et souriant. «N'est-ce pas un endroit tout à fait merveilleux, cette terre sur laquelle nous vivons?»

Je ne peux m'empêcher de lui sourire à mon tour. «Oui, Catherine. Oui, en effet.»

MÉDITATION POUR OUVRIR SON CŒUR

Quand le chaos du feu nous entoure et nous consume, il est difficile de garder nos cœurs ouverts, de sentir la peur et la douleur. La présente adaptation d'une méditation sufi nous aide à trouver le calme au milieu du chaos, nous donne un moyen de découvrir nos cœurs et de les ouvrir. C'est là, dans la force et la douceur du centre du cœur, que nous pouvons puiser le courage et la volonté de rester debout au centre du feu. Quand nous sommes en harmonie avec nos cœurs, nous pouvons entendre la petite voix qui murmure avec une confiance tranquille: «Respire. Tu peux y arriver.»

Asseyez-vous ou étendez-vous confortablement. Concentrez-vous sur votre respiration. Inspirez trois fois profondément par le nez et expirez par la bouche; détendez votre corps et relâchez vos muscles avec chaque expiration. Dirigez votre souffle vers votre cœur et laissez les muscles qui l'entourent se détendre. Laissez la douceur de votre souffle assouplir les rigidités.

Maintenant, à chaque expiration, la bouche fermée, émettez le son «hmmmm...» trois fois. Inspirez et répétez ce son à l'expiration pour 22 respirations. Répétez le son trois fois à chaque expiration. Le son est plus intérieur qu'extérieur. Vous devriez pouvoir le sentir vibrer dans vos mâchoires et profondément dans votre poitrine. Imaginez que votre cœur se détend et s'ouvre un peu plus avec chaque respiration.

Après les 22 respirations, demeurez silencieux pendant 11 respirations et laissez votre calme intérieur gagner votre esprit. Puis, recommencez à émettre le son 3 fois à chaque expiration, cette fois pendant 11 respirations. Sentez de nouveau la vibration du son au centre de votre cœur et imaginez-le qui se détend et s'ouvre. Après les 11 respirations, restez en silence et concentrez-vous sur le va-et-vient de votre souffle dans votre cœur. Sentez-y le courage et la volonté de vous tenir debout au centre du feu sans reculer.

La nourriture intérieure

Je ne veux pas savoir ce que vous avez étudié,
ni où ni avec qui.
Je veux savoir ce qui vous nourrit
de l'intérieur,
quand tout le reste s'évanouit.

DITES-MOI, AVEZ-VOUS DÉJÀ PERDU L'ESPOIR et la foi? Qu'est-ce qui vous nourrit quand tout ce sur quoi vous avez compté, intérieurement et extérieurement, vous échappe? Comment vous en sortez-vous? Comment réussissez-vous à continuer de respirer?

La plupart du temps, l'espoir me soutient: j'espère que mes fils trouveront ce qu'ils aiment et trouveront le moyen d'en vivre; j'espère que mon travail continuera de me stimuler et de me permettre d'offrir quelque chose d'utile à d'autres personnes. Oh, j'espère aussi que nous nous servirons de notre volonté et de notre imagination pour ramener la paix dans les parties du monde déchirées par la guerre et développer des technologies et des façons de vivre en harmonie avec la terre. La vérité, c'est que la plupart du temps les espoirs qui me poussent vers la vie les bras grands ouverts sont plus petits, spécifiques et très humains: j'espère me mettre un jour à faire de l'exercice régulièrement; j'espère ressentir de nouveau la délicieuse excitation de l'amour qui naît; j'espère que mon teint va s'améliorer, que je vais apprendre à me promener avec élégance en patins à roues alignées, que je vais être embrassée par un homme qui me fait perdre la tête. J'espère pouvoir trouver le temps d'aller me promener au bord du lac et de nourrir les canards.

Évidemment, il peut être dangereux de se concentrer sur nos espoirs: nous risquons de nous abandonner à la rêverie et de passer à côté de ce que nous avons. Mais notre capacité d'imaginer, de prévoir, fait partie de notre condition humaine. Quiconque a déjà fait l'amour sait qu'une partie du plaisir réside dans l'anticipation du familier et de l'inconnu. Le plaisir et l'intimité de l'amour physique sont plus profonds quand je réussis à ralentir et à savourer consciemment le goût piquant du moment, de la seconde qui précède celle où le souffle s'arrête dans l'attente de ce qui vient. Je sens la chaleur de l'air entre les deux bouches qui se cherchent goulûment. Il y a un espoir qui me nourrit, qui me pousse vers la vie, dans la peau frissonnante en attente, dans les fins poils dressés au garde-à-vous, presque douloureux. L'attente se loge dans des lieux qui n'ont pas encore été touchés mais savent qu'ils le seront. J'ai l'espoir de rencontrer celui qui peut me toucher en me regardant droit dans les yeux.

L'espoir et l'attente peuvent rendre notre expérience du moment plus profonde, nous pousser à agir ou à rester immobiles. Je fais ma méditation quotidienne, pas seulement parce que cela m'aide à voir plus clair et me procure une sensation de calme, mais parce que j'ai l'espoir que cela m'aidera à être plus présente. Le fait de vivre pleinement le moment présent n'exclut pas d'avoir de l'espoir pour ce qui vient après. Parfois, quand le moment à vivre est difficile, c'est l'espoir que les choses vont changer qui nous permet d'être présents.

Et quelquefois, il n'y a pas d'espoir. Quand je suis clouée au lit par la maladie après avoir passé des mois à faire tout ce que je pouvais pour rester en forme, je n'ai plus aucun espoir de retrouver ma santé normale, quotidienne. Quand mon fils fait l'école buissonnière, je perds l'espoir qu'il puisse trouver son chemin dans le système scolaire. Parfois, quand ma solitude devient insupportable, je perds tout espoir de trouver un jour un homme avec qui je pourrais partager ma vie.

Mais il y a toujours la foi. Parfois, quand l'espoir est disparu, je puis trouver dans mon cœur la foi qui me nourrit, la foi qui est ravivée par les moments où moi ou les autres sommes capables de goûter ce qui est bon, ce qui est drôle, doux et tendre dans la vie, malgré nos blessures profondes et nos difficultés insurmontables. C'est le courage de l'esprit humain et l'implacable persistance de la vie autour de nous qui me donnent la foi. Alors, j'ai foi que, même si ma santé demeure fragile, même si mon fils continue d'éprouver des difficultés à l'école, même si je ne trouve jamais l'homme de mon cœur et le foyer que je cherche, ce ne sera pas grave, vraiment pas grave. La vie va continuer et elle va contribuer avec sa beauté à me ramener à l'espoir. C'est ma foi.

Vivre dans l'espoir, c'est vivre dans l'attente de ce qui peut être. Vivre dans la foi, c'est accepter ce qui ne peut être changé par notre volonté et savoir que la vie dans sa plénitude est bonne.

Parfois, je ne retrouve ni l'espoir ni la foi et je n'ai plus rien à quoi me raccrocher. Quand cela se produit, les fins de soirée sont les pires moments. Je regarde la télévision, je travaille à mon ordinateur ou je nettoie la maison; j'essaie de m'épuiser pour pouvoir sombrer dans un sommeil sans rêve au moment où je m'arrêterai, pour éviter de vivre cette souffrance qui me force à regarder aveuglément dans l'obscurité.

Dans ces moments, tout ce qui me stimule habituellement quand je déborde d'espoir me paraît terne, sans intérêt, inutile. Les aliments n'ont plus de goût. Ma maison ne me plaît plus, elle me paraît soudain trop familière; ce n'est plus qu'un ramassis d'objets choisis arbitrairement et destinés au camion à ordures. Je remets en question mes relations avec mes amis et ma famille, et j'ai envie de disparaître. Les idées qui normalement me stimulent et me passionnent semblent absurdes, détachées de tout ce qui est essentiel: mon écriture, mon apitoiement dérisoire. Mes rêves sont pleins d'ambivalence: des amoureux réticents, des décisions confuses et des tâches interminables qui m'épuisent. Dans ces moments-là, je n'ai plus la foi, je ne sais pas que cela passera, j'oublie que ce que nous sommes et notre façon de vivre sont importants.

C'est parfois le deuil qui nous fait perdre la foi et l'espoir. Il y a plusieurs années, pendant une période de 20 mois, beaucoup de choses qui me donnaient de l'espoir disparurent une après l'autre ou furent menacées: mes fils et moi, nous dûmes quitter la maison dans laquelle nous vivions depuis 12 ans; la rupture de l'anévrisme de Catherine m'a plongée dans une grande tristesse, m'a fait remettre en question mes convictions les plus fondamentales et m'a fait annuler mes projets d'enseignement; mon fils cadet, Nathan, malade pendant des semaines, a été hospitalisé: les médecins cherchèrent la cause de ses symptômes, soupçonnèrent la présence d'un cancer, mais ne trouvèrent rien; ma relation avec l'homme que je croyais avoir attendu toute ma vie a pris fin; ma meilleure amie a appris qu'elle avait le cancer et a décidé de partir au loin pour se soigner; mon refuge dans la nature a été dévasté par une tornade tandis que j'y campais avec un groupe: nous en avons été fortement secouées et le lieu a été complètement détruit.

Chaque fois que quelque chose se produisait, je réagissais, comme la plupart des gens le font, en faisant ce qui devait être fait. À plusieurs points de vue, ce n'est pas le moment de crise qui est le plus difficile à supporter. J'ai appris comment m'occuper d'une amie mourante ou d'un enfant malade, comment rassembler mes forces pour faire des boîtes, repeindre des murs, réparer des tentes déchirées par le vent. Plus tard, quand les crises furent passées, quand il n'y eut plus rien à faire, je me suis retrouvée assise sur mon lit, incapable de dormir. Après un long moment, devant la page blanche de mon journal, je ne pus écrire que deux lignes. Ce ne fut qu'en relisant ces lignes que j'ai réalisé à quel point l'espoir et la foi m'avaient quittée: «Trop tard, seule dans mon lit, j'ai murmuré lentement dans l'obscurité: "Je ne suis pas aussi forte que j'en ai l'air. Je ne suis pas indestructible."»

Je ne savais pas, avant d'écrire cela, que je m'étais crue invincible, mais c'était vrai. J'avais pensé que ma foi et mes espoirs me soutiendraient envers et contre tout. J'étais déjà tombée auparavant et je m'étais relevée: après l'échec de mes mariages, mes maladies, mes déceptions. J'avais cru que je serais toujours capable de me relever. Pour la première fois de ma vie, je n'en étais pas sûre. Je doutais que ma lassitude profonde finirait par passer, que je retrouverais l'espoir. Mes amis étaient inquiets, mais je me sentais très loin d'eux et je ne voulais pas de leur appui. Quelque chose en moi s'était fermé.

Quand tout ce sur quoi nous comptions est disparu, il n'y a rien d'autre à faire que d'attendre sans foi et sans espoir. C'est à nous de choisir de quelle façon nous attendons, c'est-à-dire de demeurer ouverts ou de nous fermer, de choisir de vivre ou de commencer à descendre en spirale vers la mort. Pour choisir la vie, nous devons être disposés à attendre en nous ouvrant à la vie et à l'amour, même si l'ouverture nous semble impossible et que nous sommes convaincus que rien ni personne ne nous trouvera plus jamais.

Ce qui nous nourrit quand tout le reste disparaît, ce sont les choses grâce auxquelles il nous est possible d'attendre et de nous ouvrir. J'ai eu la chance de trouver trois de ces choses: mes prières et mes méditations, mon écriture et les moments que je passe en communion avec la nature. Ces activités enrichissent ma vie, quand je suis remplie de foi et d'espoir, et elles me procurent le moyen de supporter l'attente. Je les pratique régulièrement, que j'en aie envie ou non.

Les habitudes se cultivent mieux dans les moments où tout va bien. C'est difficile. Parfois, toute activité régulière qui excède le brossage de dents quotidien semble une entorse à notre liberté personnelle mais l'habitude, régulièrement répétée et quelque peu structurée, de nous rattacher au Mystère dont nous faisons partie nous donne un moyen de nous ouvrir à ce qui nous nourrit quand tout nous échappe.

J'ai commencé ma pratique de la prière très simplement: je disais une petite prière chaque matin pour saluer le jour naissant. Plus tard, j'ai commencé à partager des prières avec mes fils à la fin de chaque journée. Nous exprimions tour à tour notre gratitude pour un événement de la journée, sollicitions la bénédiction pour les personnes que nous aimions et formulions nos demandes d'aide ou de conseils. J'ai fini par consacrer une heure par jour à la méditation et à la prière. Il y a presque toujours un peu de résistance: une voix me dit que je suis trop fatiguée, trop occupée, trop malade pour le faire, ou que je suis suffisamment en santé pour ne pas le faire. Je le fais quand même.

La plupart des pratiques spirituelles ont été développées et étaient autrefois exécutées en communauté. Pour la plupart, nous ne vivons pas en communauté. Bien que mes étudiants, mes amis et moi ayons plusieurs de ces pratiques en commun, nous ne sommes que rarement à proximité les uns des autres. Il est difficile de s'astreindre à une pratique quotidienne. Cela ne demande pas tant une discipline héroïque qu'un profond engagement envers la vie, une volonté de dédier nos vies à quelque chose de plus grand que nous-mêmes.

Je veux savoir à quoi vous avez dédié votre vie. Qu'est-ce que vous aimez plus que votre propre bonheur ou votre propre souffrance? Chaque jour, en faisant ma prière, je m'engage à consacrer ma pauvre vie à vivre pleinement, à apprendre à bien aimer.

Et la pratique que j'ai développée dans les périodes plus faciles est là quand les choses deviennent difficiles. Je récite les prières que j'ai apprises. Ce sont les prières du Conseil des Anciens, mais ce pourrait tout aussi bien être les prières du bouddhisme tibétain, celles d'une communauté chrétienne, ou celles de n'importe quelle autre tradition spirituelle. Quand je suis désespérée, je ne parviens pas à articuler spontanément de prières éloquentes, alors je commence à réciter comme un perroquet. Je n'ai alors pas du tout envie de dire ces prières. Je n'ai aucun espoir qu'elles puissent changer les choses, je ne crois pas que les mots que je prononce soient reçus par qui que ce soit. Mes mots sont brutaux et directs. Je suis la structure qu'on m'a enseignée et que j'articulais avec ferveur et poésie en des temps plus heureux.

D'autres fois, je vais me promener sur la rive du grand lac d'eau douce près de chez moi, je m'assois sur les rochers et je regarde devant moi sans voir. Cet endroit, dont la beauté m'émouvait autrefois, me laisse froide et indifférente mais je marche quand même sur la rive et le son des vagues commence à pénétrer ce qui s'est durci en moi. Et il y a encore d'autres moments où je laisse ma plume courir sur la page, bien que les mots qui sortent de moi me semblent banals, vides et absurdes. Je continue d'écrire. Et tandis que je prie, que je regarde le lac ou que je laisse ma main avancer sur le papier, quelque chose en moi s'adoucit et je reprends conscience des liens qui me rattachent à la vie. Cela prend parfois du temps et la sensation peut n'être que très brève, mais cela suffit pour m'aider à continuer.

Dites-moi, pouvez-vous aimer la vie et laisser l'amour vous atteindre quand vous êtes perdu? Qu'est-ce qui vous nourrit, qu'est-ce qui vous aide à attendre malgré l'absence d'espoir, à ouvrir votre cœur à l'amour quand vous n'avez plus foi en son existence? Mes pratiques sont de simples moyens de reprendre l'extrémité du fil qui me relie à l'amour et à la vie, même quand je n'ai ni l'espoir ni la foi pour me permettre de croire que l'autre extrémité du fil est rattachée à quelque chose. Chaque fois, absolument chaque fois, l'amour me trouve, parfois dans l'impossible soulagement avec lequel je retrouve enfin la certitude profonde que quelque chose me soutient, parfois dans le délicieux frisson d'extase avec lequel j'embrasse de façon tout à fait imprévisible le visage du Mystère, et parfois dans la chaleur que me procurent les mots et les actions des personnes qui me tendent la main. Cela peut prendre un moment, ou cela peut paraître prendre une éternité, mais je suis retrouvée et je puis recevoir l'étreinte de l'Esprit, du monde, des autres, l'étreinte qui me ramène à la vie et à l'espoir.

Quand mon amie Catherine était dans le coma, je passais des journées entières à attendre et à prier. Un jour, en sortant de l'hôpital, comme je quittais le stationnement, le gardien m'a souri et m'a demandé: «Comment allez-vous aujourd'hui?»

Je suppose que ce fut ma fatigue qui me fit répondre honnêtement. Je n'avais tout simplement pas assez d'énergie pour mentir. «Très mal, lui ai-je répondu sans détour. Je sors de l'hôpital, où mon amie est mourante.»

Je ne m'attendais pas à recevoir de réponse sérieuse. Je m'attendais à ce qu'il bredouille rapidement que c'était dommage. Au lieu de cela, il s'est approché un peu et m'a dit, d'un ton plein d'une compassion authentique: «Je suis désolé. Que lui est-il arrivé?»

Je le lui ai dit. Il m'a dit que sa mère avait eu une attaque la semaine précédente et que les médecins ne croyaient pas qu'elle allait s'en remettre. Il m'a rendu la monnaie et, en m'éloignant, j'ai constaté que je me sentais un peu plus légère, que je me sentais rattachée plutôt que d'avoir l'impression de dériver.

Quatre semaines plus tard, alors que Catherine était toujours dans le coma, je me suis trouvée à sortir du même terrain de stationnement. Tandis que je cherchais mon argent pour payer, j'ai entendu une voix chaleureuse qui m'interpellait: «Comment va votre amie? Est-ce qu'elle s'est rétablie?» C'était le même gardien, qui m'avait reconnue et s'était rappelé mon histoire, même s'il travaillait dans un des terrains de stationnement les plus achalandés d'une ville de plus de deux millions d'habitants.

Notre brève rencontre m'a profondément troublée. En m'éloignant, j'ai éprouvé un sentiment d'espoir impossible. La volonté de cet homme de tendre la main vers une étrangère m'a nourrie d'une façon que je n'aurais pas pu prévoir. Mes défenses d'autosuffisance habituelles, mes hésitations à recevoir quelque chose d'une personne que je ne connais pas parce que je crains que celle-ci exige quelque chose en retour avaient été ébranlées par des semaines de tension et de besoin. La vérité, c'est qu'il suffit que je donne et que je reçoive ce que je peux. Il n'y a pas de risques. L'intimité, l'interconnexion de toute la vie, c'est-à-dire l'amour auquel nous appartenons tous, ne peut être que donnée et reçue. Elle ne peut être prise.

Et c'est cela qui nous nourrit.

MÉDITATION SUR L'ATTENTE

Cette méditation de type scanner corporel est probablement la partie de ma pratique quotidienne qui m'aide le plus à attendre, sans me fermer à la vie, quand je n'ai ni foi ni espoir. Si vous la pratiquez régulièrement quand vous êtes plein d'espoir, vous pourrez plus facilement y avoir recours quand vous serez envahi par le désespoir. L'aptitude à être tout simplement, à lâcher prise quand vous ne vous sentez retenu que par le bout des ongles, peut parfois suffire à vous aider à continuer, à vous laisser attendre de pouvoir retrouver ce qui vous nourrit.

Étendez-vous confortablement sur le dos. Concentrez votre attention sur votre respiration et sentez votre poitrine qui se soulève à chaque inspiration et qui s'abaisse à chaque expiration. À chaque expiration, relâchez le stress, la tension ou la fatigue, de manière qu'ils s'enfoncent tout doucement dans le sol et la terre au-dessous de vous. Éloignez gentiment les pensées ou les émotions qui se présentent en expirant et ramenez doucement votre attention à votre respiration et à votre corps.

Concentrez-vous maintenant sur vos pieds. Imaginez que vous pouvez insuffler votre respiration dans vos pieds, que vous les emplissez de lumière et de chaleur. En expirant, laissez la tension ou la fatigue dans vos pieds s'enfoncer doucement dans le sol et sentez comme vos pieds sont détendus et soulagés. Relâchez vos pieds.

Dirigez votre souffle dans vos jambes, dans les tibias et les muscles des mollets. Prenez conscience de la tension ou de la fatigue qui s'y trouve et chassez-la en expirant. Dirigez votre souffle vers vos genoux et vos cuisses, sentez leur forme et leur poids et prenez conscience des os longs et robustes qui vont des genoux aux hanches. Détendez les muscles de vos cuisses et relâchez toute tension ou fatigue en expirant.

Dirigez votre souffle vers votre bassin, prenez conscience des os de vos hanches, de vos fesses et de vos organes génitaux. Emplissez votre bassin d'air et de lumière, et relâchez en expirant toute fatigue ou toute tension qui s'y trouve. Sentez votre bassin s'adoucir et se détendre à l'expiration.

Faites remonter votre souffle vers le bas de votre dos, puis le long de votre colonne vertébrale, vertèbre par vertèbre, en alignant doucement les os. Dirigez votre souffle vers les muscles de votre dos, emplissez-les d'air et chassez-en le stress, la tension ou la fatigue en expirant. Laissez votre souffle pénétrer dans les lieux qui sont rigides, pour y faire entrer la douceur. Détendez-vous en expirant.

Dirigez votre souffle vers votre ventre, faites-le remonter dans votre poitrine, et emplissez vos poumons et votre cœur d'air et de lumière. Prenez conscience de votre cage thoracique, qui se soulève et s'abaisse. Laissez les muscles qui entourent votre cœur se détendre. Dirigez votre souffle vers les rigidités pour les assouplir. Laissez s'échapper en expirant la tension et la fatigue qui se trouvent dans la partie antérieure de votre corps.

Dirigez votre souffle vers vos mains, vos doigts, vos paumes et faites-le remonter dans vos bras et vos épaules pour les emplir de lumière et de chaleur, puis chassez le stress ou la tension qui s'y trouve en expirant. Faites remonter votre souffle vers votre cou et votre gorge. Laissez échapper un faible son en expirant, pour dissiper la dureté des mots non prononcés. Dirigez votre souffle vers votre visage. Ouvrez légèrement la bouche et sentez vos yeux s'enfoncer un peu. Sentez les muscles de votre front et de vos joues et relâchez la tension et la fatigue en expirant. Dirigez votre souffle vers votre cuir chevelu et les os de votre tête, et sentez la tension, le stress ou la fatigue s'échapper tandis que vous expirez. Détendez-vous.

Prenez conscience de tout votre corps. Dirigez votre souffle vers les endroits où vous sentez encore de la tension ou de la fatigue. Cessez de vous accrocher. Prenez conscience du sol et de la terre qui vous supportent. Détendez-vous. Respirez.

Le chemin qui mène à la maison

Je veux savoir si vous pouvez être seul
avec vous-même
et si vous aimez vraiment la personne qui vous tient compagnie
dans vos moments de solitude.

RACONTEZ-MOI UN MOMENT de solitude réelle, un moment où vous avez été seul avec vous-même et où vous vous êtes senti au centre de l'Univers, un moment où vous avez pu sentir le monde, les étoiles, les galaxies tourner autour de vous.

Au printemps de 1974, j'ai pris le train pour rentrer à la maison à la fin de mon trimestre au collège. Un train par jour quittait Toronto en début de soirée et arrivait dans mon village natal, à 650 km de là, à 4 h 30. Personne ne savait que j'arrivais, alors personne n'était venu m'accueillir à la gare. Je fus la seule personne à descendre du train. Je suis restée un moment sur le quai en bois, puis j'ai balancé mon sac à dos sur mon dos, et je me suis mise à marcher vers la maison. Ma famille vivait de l'autre côté de la ville, à près de deux kilomètres et demi de la gare.

Il faisait noir quand j'ai commencé à marcher mais, au moment où j'eus atteint le pont qui enjambe la rivière au centre de la ville, après être passée devant les magasins, les restaurants et le seul feu de circulation de la ville, qui changeait religieusement de couleur bien qu'il n'y ait aucune voiture en vue, le ciel avait pris les teintes rose doré de l'aube et les oiseaux chantaient pour annoncer le lever du soleil.

C'est le moment de calme que je me rappelle le plus, la douce immobilité de la ville endormie. J'avais 19 ans, je portais un jean, un veston en denim et un t-shirt jaune; mes cheveux étaient blonds, longs et droits. J'ai respiré un grand coup dans l'air frais du printemps, et je me suis mise à sourire sans raison apparente. J'ai soudain pris conscience que personne ne savait où j'étais. Et pourtant j'étais là, tout près de tant de personnes qui me connaissaient. En marchant au milieu des rues désertes, avec leurs maisons familières, je me suis sentie invisible: je voyais, mais on ne pouvait me voir, parce que je l'avais choisi. Pour la première fois de ma vie, je me suis sentie vraiment seule et complètement en harmonie avec moi-même. J'imaginais les gens que je connaissais dans ces maisons, qui dormaient, rêvaient, se réveillaient dans la lumière croissante et se tournaient dans leur sommeil pour dormir encore une heure, inconscients que quelqu'un passait près d'eux et observait leurs vies qui se déroulaient.

Je me suis arrêtée pendant un long moment et j'ai regardé la rivière. Toujours boueuse à cause de la ceinture d'argile brun-rouge qui l'entoure, l'eau coulait dans le lac en un mouvement infini, que moi ou n'importe qui d'autre soit là pour le voir, tout comme la ville et la vie que j'avais connues en grandissant continuaient de progresser, que je sois à des kilomètres ou que je sois là à regarder en silence. En poursuivant ma route, je suis passée devant une maison au moment où une lumière s'allumait et où une femme, enveloppée dans sa robe de chambre, s'avançait vers la fenêtre de la cuisine pour remplir une bouilloire et la placer sur la cuisinière, comme elle le faisait chaque matin à la même heure.

C'était comme si j'avais été à l'extérieur de quelque chose dont j'avais toujours, inconsciemment, fait partie et que je le voyais pour la première fois: ce courant de vie, ce cycle de vie ordinaire qui se poursuit en nous et autour de nous sans arrêt. Je savais que dans un moment, en entrant dans la maison de mes parents, je serais de nouveau partie de tout cela et que je perdrais ce sentiment aigu d'être le témoin, d'être seule et d'être en parfait accord avec moi-même et avec mes pensées. Je savais que je serais emportée par les retrouvailles, les caresses et les exclamations de surprise, l'échange de nouvelles, le bruit et l'odeur du bacon et du café, le flux irrésistible de la vie dans le monde. En ce moment, j'étais avec le monde, je l'observais mais je n'en faisais pas vraiment partie. J'étais seule avec moi-même.

Je me suis arrêtée sur le patio, derrière la maison, pour prolonger ce moment. J'étais seule, perdue pour tout le monde et pourtant pas perdue mais là, sur le seuil. Je savais que mes racines étaient autant contenues dans la lente marche que j'avais faite dans les rues tranquilles que dans mon arrivée devant cette porte. Elles étaient dans le goût d'être avec moi-même, à marcher près de ce qui m'était familier, vers ce que je chérissais.

Puis, j'ai ouvert la porte, j'ai passé le seuil avec une assurance délibérée et j'ai crié: «Est-ce que tout le monde dort encore ici?» Tandis que ma mère entrait dans la cuisine, je me suis retournée et j'ai vu en esprit cette autre jeune femme debout dans la cour arrière, avec son sac à dos, qui nous regardait et qui me souriait. Je savais que je la retrouverais un jour. Je m'étais trouvée en marchant vers la maison à l'aube, et j'aimais la personne qui m'avait tenu compagnie dans ce moment de solitude.

Dites-moi, vous êtes-vous trouvé? Avez-vous été capable de vous placer à l'extérieur des affaires de la vie pendant un moment et de regarder celle-ci de l'extérieur, de vous sentir entier, distinct, et pourtant de faire partie du monde?

Le fait de vivre pleinement comporte une tension, une sorte d'opposition entre ce besoin de la solitude qui nous permet de nous retrouver nous-mêmes, et le désir d'être pleinement et intimement en union avec le monde. Quand nous apprenons à vivre avec le désir de la séparation et l'envie de l'union, nous découvrons que ce ne sont tout simplement que deux façons de connaître la même douleur: nous voulons tous juste rentrer à la maison.

Certains jours, la solitude est une impossibilité. Absorbée par les activités de la vie quotidienne, j'ai du mal à me retrouver et je suis remplie d'une tristesse qui me donne envie de pleurer quand je n'y arrive pas.

D'autres fois, j'en fais trop et je cours délibérément trop vite, espérant inconsciemment éviter le regard droit et froid de la jeune femme debout sur le patio, qui voit clairement ce qui est en moi et autour de moi. Parfois, je n'aime pas ce qu'elle voit, je n'aime pas la personne qui me tient compagnie quand je suis seule avec moi-même, et je veux m'éloigner de la femme que je suis. Alors, je comble ces moments en ayant recours à la télévision, au travail, à la lecture ou à la présence d'autres personnes. J'ai besoin de courage pour vouloir me rencontrer encore et encore, pour voir dans mon propre visage plus de beauté, de grâce et de capacité d'aimer que j'espérais en trouver, plus de subjectivité, d'impatience et de besoins que je craignais. J'oublie que la distance et la rapidité avec laquelle je me déplace n'ont pas d'importance; tout ce qui compte, c'est la part de moi qui m'accompagne durant le voyage.

Heureusement, la maladie qui m'a frappée très tôt dans ma vie adulte m'a empêchée de trop m'éloigner de moi-même durant de longues périodes. Ce que j'ai supporté comme une malédiction est devenu mon salut. Si je ne trouve pas le moyen de m'arrêter régulièrement, de ne rien planifier ni rien attendre pendant un temps pour être avec moi-même, mes glandes enflent, ce qui est un signe avant-coureur du retour de la maladie et me force au calme.

Parfois, quand je trouve cette délicieuse solitude, j'entends des voix qui me mettent en garde contre l'isolement. Certains étés, quand j'étais seule dans la nature, très heureuse dans ma petite roulotte au bord du lac, je ne parlais à personne pendant des semaines. Dans cet endroit, je pouvais ralentir. Je sentais la force de la vie autour de moi et en moi.

Je devenais comme un rocher chauffé par le soleil au centre du ruisseau. L'eau me contournait, tourbillonnait en spirales et érodait doucement mes bords tranchants.

Un jour, un homme qui était mon amant et mon ami et qui souhaitait devenir plus, est venu me voir sans prévenir. Je venais de fendre du bois, et je le transportais dans la roulotte, quand il est apparu. Il n'est pas resté longtemps. Il m'a dit plus tard: «Quand je suis arrivé et que je t'ai vue là, debout, du bois plein les bras, le visage brillant par l'effet du vent du lac et de l'effort que tu venais de fournir pour couper le bois, je me suis dit: "Elle est bien ici. Elle est dans son élément, seule dans la forêt. Je ne lui manque pas, elle n'a pas besoin de moi ici." Je me suis senti comme un intrus.»

Son observation m'a surprise. J'entendis la voix de ma mère qui me mettait en garde: «Tu es trop indépendante. Ne prends pas trop l'habitude de la solitude, tu finiras toute seule. On a tous besoin de quelqu'un.»

Ses craintes ne me laissent pas indifférente, mais je refuse l'idée d'être avec une autre personne uniquement pour éviter d'être seule. Mon aptitude à être seule avec moi-même n'exclut sûrement pas ma volonté d'être pleinement avec quelqu'un. Je ne recherche pas l'isolement. Mon désir pour une autre personne demeure, même quand je suis capable d'être avec moi-même, bien qu'il ne se manifeste que par un léger murmure qui m'interpelle tout doucement. Même là, dans mon lieu de solitude dans la nature, il m'arrive parfois d'avoir envie de me tourner vers quelqu'un pour partager mon émerveillement devant le scintillement de la pleine lune sur l'eau calme du lac, mon plaisir de voir les loutres jouer au bord du ruisseau. La solitude était douce-amère et supportable parce que je me connaissais, parce que je connaissais le monde sous un jour qui me devient étranger quand je remplis ma vie de choses à faire qui n'ont pas besoin d'être faites.

De temps à autre, en essayant de trouver l'extrémité du fil de ce que je veux écrire, je m'impose un exercice d'écriture qui consiste à compléter la phrase: «Je ne veux pas écrire sur...» Pendant des années, j'ai complété très souvent la phrase de cette façon: «Je ne veux pas écrire sur la difficulté d'être seule.» Pendant des années, j'ai cru que le fait de souffrir d'être seule, d'avoir besoin d'une autre personne, était une faiblesse, un signe que je n'avais pas appris à être avec moi-même. Il y a en effet eu des moments où j'ai voulu être avec quelqu'un uniquement pour masquer la douleur que j'éprouvais d'être incapable de me trouver en ma propre compagnie. Mais j'ai fini par accepter que, peu importe que je sois ou non capable d'être avec moi-même, peu importe que j'aime ou non ma propre compagnie, j'ai encore envie de m'asseoir près d'une autre personne et parfois de m'unir complètement à elle dans une intimité profonde. Cela aussi, c'est rentrer à la maison. Nous trouvons la plénitude de notre être quand nous pouvons être seuls et quand nous pouvons offrir tout ce que nous sommes à une autre personne, que nous pouvons pleinement recevoir et être reçus.

C'est le mariage sacré: l'union de deux personnes qui se sont rencontrées sur la route. Quand deux personnes qui ont cette intimité avec elles-mêmes sont pleinement ensemble, que ce soit pour la vie ou pour un moment, l'image qu'elles créent par le seul fait d'être ensemble emplit le monde de tendresse et le nourrit. Il peut s'agir d'amis, de membres d'une même famille, d'amants ou de conjoints, ou simplement de deux étrangers dont les vies se croisent pendant un moment. Ces deux personnes peuvent se raconter des histoires, faire l'amour, partager une tâche ou s'asseoir en silence l'une près de l'autre. Cela n'a pas d'importance. Si, après m'être trouvée dans la solitude, je suis disposée à offrir tout ce que je suis à une autre personne et à recevoir tout ce qu'elle est, alors nous serons pleinement ensemble. À ce moment-là, dans l'image que crée notre union, nous sommes la manifestation de la vie qui porte, crée et nourrit la vie. C'est la plénitude du retour à la maison, que nous souhaitons tous.

Ces moments, ces mariages sacrés entre deux personnes, ramènent chaque personne à elle-même plus pleinement. Quand j'étais plus jeune, l'excitation de la proximité et la chaleur de la passion alliées à un malaise que j'éprouvais face à moi-même signifiaient souvent que je me perdais quand j'étais avec une autre personne. Quand j'étais avec quelqu'un avec qui je croyais possible d'aller au-delà de l'amitié, j'avais de la difficulté à savoir ce que je voulais. Je n'étais consciente que de son désir pour moi et j'étais aspirée par celui-ci.

Maintenant que je suis davantage capable d'être avec moi-même, je recherche les personnes avec qui je peux être complètement sans me perdre. Quand je porte attention à l'impulsion calme mais profonde qui me porte à aller vers quelqu'un, à le suivre à mon rythme en demeurant rattachée à cette impulsion, je découvre un doux bien-être en mon corps et une infinie tendresse en mon cœur. Je reconnais ce que j'ai désiré dans la souffrance innommable qui m'a habitée pendant tant d'années. La tension s'atténue entre mon désir de liberté personnelle et d'indépendance, mon désir de solitude et mon profond besoin d'engagement et d'intimité avec d'autres. Je me découvre moi-même dans les moments que nous passons ensemble. Et je découvre davantage le monde dans les moments où je suis seule.

Dites-moi, comment vivez-vous avec vous-même et avec les personnes qui vous entourent? Êtes-vous prêt à vous rencontrer et à ne pas détourner les yeux de ce que vous voyez? Pouvez-vous vous approcher tout près de moi, juste avec un mot, un geste ou un moment de silence partagé? Pouvez-vous trouver le chemin de la maison, encore et encore, trouver le lieu où tous vos désirs seront satisfaits?

Dans les moments où nous nous retrouvons nous-mêmes et où nous retrouvons le monde, la peur n'existe pas, parce que nous savons à quoi nous appartenons et ce qui nous appartient.

Quand j'étais adolescente, je marchais seule dans l'obscurité le soir pour rentrer à la maison après mes répétitions avec la chorale, et je n'avais pas peur. Dans le calme profond de l'hiver, alors que la température était souvent inférieure à -20 °C, je marchais le long des rues silencieuses entre les énormes amoncellements de neige bleu-blanc, dans la lueur vacillante des lumières nordiques. Mon souffle restait suspendu dans l'air, formait de petits nuages argentés d'humidité gelée. Je n'avais pas peur. Je savais que j'appartenais à ce ciel froid et sombre et à ces lumières dansantes. Je savais que j'appartenais aux gens dans les maisons que je longeais, à ceux que je connaissais et à ceux que je ne connaissais pas. Je savais que j'appartenais aux conifères lourds de neige qui ployaient au-dessus de la route. Les seuls sons que j'entendais étaient le crissement de mes bottes sur le sol gelé et le rythme doux et régulier de ma respiration. Et ceux-ci m'appartenaient.

MÉDITATION SUR L'ARBRE À FLEURS

Nous pouvons être seuls avec nous-mêmes quand nous sommes conscients de notre vitalité individuelle et de notre place dans le monde. La présente méditation m'a souvent aidée à trouver un lieu de contemplation profonde, une plénitude singulière et un lien avec le monde qui m'entoure.

Asseyez-vous confortablement, le dos droit, mais détendu. Si vous êtes sur une chaise, assurez-vous que vos pieds sont bien à plat sur le sol. Concentrez votre attention sur votre respiration. Respirez profondément par le nez trois fois, et expirez par la bouche. Relâchez vos épaules. À chaque expiration, laissez votre poids descendre dans la partie inférieure de votre corps et chassez toute tension ou fatigue.

Fermez les yeux. Imaginez que vous voyez le soleil, et que ses rayons dorés brillent au-dessus de vous. Aspirez la chaleur et l'énergie du soleil de votre tête jusqu'à votre cœur. Laissez sa lumière dorée inonder votre cœur et sortir par la base de votre colonne vertébrale. Imaginez qu'une racine sort de la base de votre colonne vertébrale et s'enfonce vers le sol à chacune de vos expirations, alimentée par l'énergie solaire. Regardez-la, avec les yeux de votre esprit, s'enfoncer dans la terre brune humide sous vos pieds, s'avancer sans effort au-delà des rochers et des ruisseaux souterrains, de plus en plus profondément dans la fraîcheur du sol. Aspirez les rayons du soleil dans votre cœur, et poussez sur la racine en expirant de manière qu'elle grandisse un peu plus à chaque expiration.

Maintenant, imaginez que vous commencez à ressentir un frisson, une chaleur à l'extrémité de cette racine au moment où elle s'approche du magma, le noyau de métal et de pierres en fusion au centre de la Terre. Respirez cette chaleur, l'énergie du centre de la Terre, qui remonte le long de la racine avec chaque inspiration. Sentez la racine qui se réchauffe et frémit en transportant l'énergie progressivement vers votre corps à chaque inspiration. Sentez cette chaleur, cette énergie qui pénètre dans tout votre corps, qui remonte vers son centre, dans votre cœur, le traverse et remonte au-dessus de votre tête. À chaque respiration, aspirez l'énergie, la chaleur et la lumière du magma dans votre cœur et dirigez-les en expirant vers le dessus de votre tête, de manière à vous sentir fermement enraciné dans la terre. Sentez votre cœur comme le tronc d'un arbre qui tire l'énergie de la terre et la projette vers le dessus de votre tête, où se trouvent les branches. À chaque expiration, imaginez les branches qui se déploient sur le dessus de votre tête, luxuriantes et épanouies, tendues vers le ciel, en se couvrant de feuilles. En continuant de suivre le cycle de l'énergie, imaginez les branches qui poussent, qui s'arquent au-dessus de vous et retombent de chaque côté pour toucher le sol.

Imaginez-vous au centre de ce cycle d'interconnexion, aspirant l'énergie de la Terre jusqu'à votre cœur et l'expirant par les branches, qui la renvoient à la Terre là où elles touchent le sol de chaque côté de vous. Prenez conscience de votre lien solide avec la Terre, de la force de votre corps et de la beauté et de la flexibilité des branches qui poussent sur le dessus de votre tête. De ce lieu de plénitude et de connexion, ouvrez votre esprit et votre cœur aux pensées du monde, à ses joies et à ses peines, sans chercher les pensées qui vous viennent et sans vous y accrocher, mais en vous contentant de les observer objectivement. Remarquez quelles pensées et quelles émotions viennent à vous à propos du monde – de vos cercles personnels de famille et d'amis et du monde situé au-delà de votre cercle immédiat. Reconnaissez que vous faites partie du monde tel que vous êtes en ce moment, seul et en parfaite harmonie avec vous-même.

Remerciements

SANS LA COMMUNAUTÉ ET L'ESPRIT DANS MA VIE, le présent livre n'aurait pas pu être écrit.

Je suis profondément reconnaissante à ma famille – à mes fils, Brendan et Nathan, pour leurs encouragements de tous les instants, leur patience infinie et leurs suggestions astucieuses relativement à la première version; à mes parents, Don et Carolyn House, pour leur aide et leur amour; à Linda Mulhall, ma sœur de cœur, qui est toujours là pour moi.

Je remercie également les cercles d'hommes et de femmes auxquels j'appartiens pour leurs prières et leur appui: Kris Blok-Anderson, Suzy Gibson, Wendy Mortimer, Sara Weber, Philomene Hoffman, Mimi Yano, Ann MacPherson, Lise Tetrault, Judith Edwards, Lynley Hall, Judy Ann Smith, Liza Parkinson, Wende Bartley, Marie Claire Schacher, Ingrid Szymkowiak, Judith Cockman, Agnes Ohan, Lucinda Vardey, Suzanne Gregory, Hema Dias Abeygunawardena, Carol Sing Lun Mark, Ann Petrie, Pauline Faull, Maureen

Campbell, Wilder Penfield, Brian Wheeldon, Peter Marmorek, Mitch Ross, John Jestadt, Carla Jenson, Myrna Mather, Margaret Carney, Vivien Cvetkovic, Catherine Jelinek, Cat Scoular, Ellen Martin, Elizabeth Verwey.

Ma gratitude va aussi à deux brillantes étoiles, pour leurs encouragements: Ellen Wingard et John O'Donohue.

Je suis très reconnaissante à Peter et Judy Crawford Smith pour leur amitié profonde et l'hospitalité du Bridgewater Retreat, un lieu de beauté et de sérénité où je puis écrire. Merci à l'auteur David Whyte, pour la poésie et l'exercice d'écriture qui ont inspiré la méditation et la conclusion du chapitre intitulé «Le désir» et l'original de *L'invitation*. À Joe Durepos, mon représentant, j'offre ma gratitude pour m'avoir trouvée et avoir proposé la publication du présent livre et pour m'avoir offert une structure indispensable pour l'accumulation de mes écrits. Je remercie également le personnel de Harper San Francisco, en particulier Karen Levine, qui a tellement facilité le processus que j'ai senti le besoin d'être assurée qu'il n'y aurait pas de mauvaises surprises à prévoir. Merci de m'avoir facilité les choses.

Le mot *merci* ne peut suffire à exprimer mes sentiments à l'égard de Catherine et Roger Mloszewski. Vous m'avez permis de participer à votre expérience de cœur et de courage extraordinaire, d'en être transformée et de la partager.

Je souhaite à toutes ces personnes, et à celles que je n'ai pas nommées et qui m'ont touchée ou permis d'apprendre, la grâce de vivre pleinement. Mon cœur est comblé.

Pour recevoir des informations sur les ateliers et séminaires d'Oriah Mountain Dreamer, écrivez à l'adresse suivante:

300 Coxwell Avenue
Box 22546
Toronto, Ontario
Canada
M4L 2A0

L'invitation

JE NE VEUX PAS SAVOIR CE QUE VOUS FAITES DANS LA VIE. Je veux seulement connaître vos désirs, savoir si vous avez assez d'audace pour imaginer la réalisation de vos rêves les plus chers.

Je ne veux pas savoir quel âge vous avez. Je veux savoir si vous oserez vous rendre ridicule au nom de l'amour, d'un rêve, ou de l'aventure de la vie.

Je ne veux pas savoir quelles planètes vous influencent. Je veux savoir si vous avez touché le centre de votre propre douleur, si les trahisons de la vie vous ont permis de vous ouvrir, ou si la peur de souffrir encore vous a fait vous refermer sur vous-même. Je veux savoir si vous pouvez regarder la souffrance en face, la mienne ou la vôtre, sans essayer de la cacher, de l'atténuer ou de la nier.

Je veux savoir si vous pouvez laisser la joie vous habiter, la mienne ou la vôtre, si vous pouvez danser de bonheur et vous laisser remplir d'extase jusqu'au bout des doigts et des orteils, sans faire appel à la prudence, au réalisme, sans rappeler les limites de la condition humaine.

Je ne veux pas savoir si l'histoire que vous me racontez est vraie. Je veux savoir si vous seriez capable de décevoir une personne pour rester fidèle à vous-même; de faire face à des accusations de trahison sans vous trahir vous-même; d'être déloyal, mais digne de confiance.

Je veux savoir si vous êtes capable de saisir la beauté du quotidien, même quand tout n'est pas joli, et si vous pouvez nourrir votre vie de sa présence.

Je veux savoir si vous pouvez vivre malgré l'échec, le mien ou le vôtre, et tout de même vous tenir sur le rivage du lac et crier aux reflets argentés de la pleine lune: «Oui!»

Je ne veux pas savoir où vous vivez, ni combien d'argent vous avez. Je veux savoir si vous pouvez vous lever, après une nuit de souffrance et de désespoir, malgré votre fatigue et votre douleur profondes, et faire ce qu'il faut pour nourrir les enfants.

Je ne veux pas savoir qui vous connaissez, ni comment vous avez fait pour arriver ici. Je veux savoir si vous resterez au centre du feu avec moi, sans reculer.

Je ne veux pas savoir ce que vous avez étudié, ni où ni avec qui. Je veux savoir ce qui vous nourrit de l'intérieur, quand tout le reste s'évanouit.

Je veux savoir si vous pouvez être seul avec vous-même et si vous aimez vraiment la personne qui vous tient compagnie dans vos moments de solitude.

Pour *L'invitation* par Oriah Mountain Dreamer